A Mudança na Palma das Mãos

Equilibrando sua Energia por meio da Quiromancia, dos Chacras e dos Mudras

Sandra Kynes

A Mudança na Palma das Mãos

Equilibrando sua Energia por meio da Quiromancia, dos Chacras e dos Mudras

Tradução:
Paula Barros

MADRAS®

Publicado originalmente em inglês sob o título *Change at Hand*, por Llewellyn Publications, Woodbury, MN55125, USA, <www.llewellyn.com>.
© 2009, Sandra Kynes.
Direitos de tradução e edição para o Brasil.
Tradução autorizada do inglês.
© 2014, Madras Editora Ltda.

Editor:
Wagner Veneziani Costa

Produção e Capa:
Equipe Técnica Madras

Tradução:
Paula Barros

Revisão da Tradução:
Ana Carolina Spinelli

Revisão:
Silvia Massimini Felix
Neuza Rosa
Margarida A. G de Santana

Dados Internacionais de Catalogação na Publicação (CIP)
(Câmara Brasileira do Livro, SP, Brasil)

Kynes, Sandra
A mudança na palma das mãos : equilibrando sua energia por meio da quiromancia, dos chacras e dos mudras / Sandra Kynes ; tradução Paula Barros. – São Paulo : Madras, 2014.
Título original: Change at hand.
Bibliografia.
ISBN 978-85-370-0916-1

1. Quiromancia I. Título.

14-05341   CDD-133.6

Índices para catálogo sistemático:
1. Leitura da mão : Quirologia 133.6

É proibida a reprodução total ou parcial desta obra, de qualquer forma ou por qualquer meio eletrônico, mecânico, inclusive por meio de processos xerográficos, incluindo ainda o uso da internet, sem a permissão expressa da Madras Editora, na pessoa de seu editor (Lei nº 9.610, de 19.2.98).

Todos os direitos desta edição, em língua portuguesa, reservados pela

MADRAS EDITORA LTDA.
Rua Paulo Gonçalves, 88 – Santana
CEP: 02403-020 – São Paulo/SP
Caixa Postal: 12183 – CEP: 02013-970
Tel.: (11) 2281-5555 – Fax: (11) 2959-3090
www.madras.com.br

À memória carinhosa de minha mãe.

Índice

Figuras 11
Introdução 15

1. Nossas Ferramentas Intrínsecas 19
    Gestos, costumes e toques 20
    Mudras, chacras e portões energéticos 21
    Uma perspectiva histórica sobre a importância não física das mãos 25
    A mão nas artes de cura 27
    Prática: abrindo os chacras das mãos com cristais 29

2. Os Elementos 31
    Uma perspectiva histórica dos elementos 32
    Quatro elementos – cinco elementos 35
    Os arquétipos elementares 37

3. Formatos das Palmas e das Mãos 43
    Textura da pele 43
    Consistência/resistência à pressão 45
    Flexibilidade das mãos 46
    Formato de acordo com o elemento 46
    Forma básica: quadrado e retângulo 48
    Prática: adotando nosso elemento básico 51

4. A Palma e os Quadrantes 55
    O significado dos elementos dos quadrantes 59
    O centro da palma 63
    Prática: Ativando os chacras das mãos 64

5. **Introdução aos Montes** 69
   O Monte de Júpiter 72
   O Monte de Saturno 73
   O Monte de Apolo 73
   O Monte de Mercúrio 73
   O Monte de Marte 74
   Entre Martes 75
   De ativo a estático 75
   O Monte de Vênus 75
   O Monte de Luna 76
   Os Montes Menores 76
   Os montes e os elementos 77
   Prática Um: Jornada elementar até a palma 79
   Prática Dois: O centro da Terra 79

6. **A Energia dos Montes Combinada** 81

7. **Formatos das Mãos, Montes e Quadrantes** 93
   A energia combinada do formato da mão
   e dos quadrantes 93
   A energia combinada dos quadrantes e dos montes 95
   Prática: Trabalhando com a energia dos quadrantes 100

8. **As Zonas e os Dedos** 103
   As três zonas 103
   O princípio da materialidade graduada 107
   Introdução aos dedos 108
   O arco dos dedos 109
   Um dedo, com qualquer outro nome 111
   De quatro a cinco elementos 112
   Prática: o Jnana Mudra 113

9. **O Dedo Indicador** 115
   Espaço e comprimento 117
   Reto, torto, curvo ou inclinado 119
   As articulações e a ponta do dedo 120
   As partes 121
   Metodologias de cura e energia relacionadas
   ao dedo indicador 122
   Prática: o mudra do dedo indicador 123

10. O Dedo Médio 125
  Espaço e comprimento 127
  Reto, torto, curvo ou inclinado 129
  As articulações e a ponta do dedo 130
  As partes 131
  Metodologias de cura e energia relacionadas
  ao dedo médio 131
  Prática: o mudra do dedo médio 132

11. O Dedo Anular 135
  Espaço e comprimento 136
  Reto, torto, curvo ou inclinado 138
  As pontas do dedo 138
  As partes 139
  Metodologias de cura e energia relacionadas
  ao dedo anular 139
  Prática: os mudras de Prithivi e Detox 140

12. O Dedo Mindinho 143
  Espaço e comprimento 145
  Reto, torto, curvo ou inclinado 146
  As pontas do dedo 147
  As partes 148
  Metodologias de cura e energia relacionadas
  ao dedo mindinho 148
  Prática: o mudra de Lótus 150

13. O Polegar e Nossa Combinação
  de Energia Quironômica 151
  A posição e o ângulo 153
  O formato e o tamanho 154
  O tipo de articulação 154
  A ponta do polegar e as partes 155
  Metodologias de cura e energia relacionadas ao polegar ... 157
  Prática: o polegar e o chacra mudra da mão 158
  O polegar como testemunha 159
  Os dedos e a consciência 159
  Visão geral dos elementos 160

14. **Introdução às Linhas da Mão** 163
    As linhas e os elementos 166
    Pares de linhas elementares 169
    O quadrilátero e os triângulos 170
    Prática: ativando a energia do Grande Triângulo 171

15. **A Grande Terra: a Linha da Vida** 173
    O caminho 174
    Outros fatores 177
    Prática: ativando a energia da força vital 180

16. **A Grande Água: a Linha do Coração** 183
    O caminho 185
    Outros fatores 188
    Prática: ativando os pontos do coração 189

17. **O Grande Ar: a Linha da Cabeça** 193
    O caminho 195
    Outros fatores 198
    Prática: abundância e fundamento 200

18. **O Grande Fogo: a Linha do Destino** 203
    O caminho 204
    Outros fatores 207
    Prática: alinhando nossa energia com o nosso caminho 210

19. **As Linhas Elementares Menores** 211
    Terra menor: os Braceletes 212
    Água menor: o Anel de Vênus 214
    Ar menor: a linha de Mercúrio 215
    Fogo menor: a linha de Apolo 217
    Prática: conhecendo e equilibrando a energia elementar ... 219

    Conclusão 221
    Bibliografia 223
    Índice Remissivo 228

Figuras

Figura 1.1. A associação dos chacras com os dedos e os pontos de reflexo dos chacras na mão 22

Figura 1.2. Vinte portais *Chi kung* estão nas palmas das mãos. Há outro portal energético localizado nas costas da mão, exatamente na direção do centro da palma 24

Figura 1.3. Um mapa reflexológico parcial das mãos 28

Figura 1.4. Um mapa da mão de acordo com a medicina moderna 29

Figura 2.1. Os simples símbolos gráficos alquímicos dos elementos. Da esquerda para a direita: fogo, água, ar e terra 33

Figura 2.2. Ideograma do século XVII para a arte da Alquimia .. 33

Figura 2.3. O pilar tibetano é uma representação física da ordem dos elementos. De cima para baixo (do mais leve para o mais pesado): éter, ar, fogo, água, terra 36

Figura 2.4. Os quatro elementos unidos e completos 36

Figura 2.5. O cruzamento alquímico dos elementos 36

Figura 2.6. Símbolos do elemento terra 38

Figura 2.7. Símbolos do elemento água 39

Figura 2.8. Símbolos do elemento ar 40

Figura 2.9. Símbolo do elemento fogo 41

Figura 3.1. Os quatro formatos básicos da palma. Da esquerda para a direita: terra, água, fogo, ar 49

Figura 3.2. Os quatro formatos de mão elementares mostrando palmas e dedos. Da esquerda para a direita: terra, ar, fogo, água 50

Figura 4.1. A primeira divisão da mão 56

Figura 4.2. A segunda divisão da mão 57

Figura 4.3. As duas divisões da mão formam o quadrante 58

Figura 4.4. Os quadrantes com seus elementos associados 59

Figura 4.5.	Os elementos e sua ordem de predominância nessa mão	60
Figura 4.6.	O cruzamento alquímico dos elementos no quadrante	63
Figura 4.7.	Pontos de energia no centro da palma	65
Figura 5.1.	Os montes da mão e suas relações com os "planetas"	70
Figura 5.2.	Um mapa da nossa jornada elementar	78
Figura 5.3.	Um círculo de energia com a Terra no centro nos mantém centrados e faz com que as energias dos montes fluam	80
Figura 6.1.	Os elementos dos montes	82
Figura 6.2.	A combinação forte entre água e água: Júpiter e Luna	83
Figura 6.3.	Dose dupla de fogo e coragem, que se triplica quando Apolo está envolvido	89
Figura 7.1.	A combinação de elementos dos quadrantes e dos montes	96
Figura 8.1.	As três zonas, ou mundos	104
Figura 8.2.	Uma ilustração de como as três zonas se relacionam aos nossos sete chacras (centros de energia)	105
Figura 8.3.	A materialidade graduada provê a terra para o equilíbrio, que não está presente nas zonas	107
Figura 8.4.	O comprimento relativo dos dedos ecoa o princípio da materialidade graduada	108
Figura 8.5.	Tipos elementares das pontas dos dedos. Da esquerda para a direita: cônica, quadrada, espatulada e pontuda	109
Figura 8.6.	O arco de ar à esquerda e o arco de fogo à direita	110
Figura 8.7.	O arco de terra à esquerda e o arco de água à direita	110
Figura 8.8.	Os dedos e seus respectivos elementos	112
Figura 8.9.	O Jnana Mudra	113
Figura 9.1.	Mãos ilustrando um espaço moderado entre os dedos	117
Figura 9.2.	O meridiano energético do dedo indicador mostrando	

	o ponto IG4, utilizado para tratar dores de cabeça frontais 122
Figura 9.3.	A primeira posição de mudra com o dedo indicador 123
Figura 10.1.	O dedo médio inclina-se em direção ao dedo indicador..129
Figura 10.2.	O meridiano pericárdio revelando o ponto CS8, utilizado para a revitalização geral...............................133
Figura 10.3.	O mudra do dedo médio, equilibrando a energia do consciente e do subconsciente......................................134
Figura 11.1.	O meridiano de San Jiao mostrando o segundo ponto, que é usado para tratar garganta inflamada, assim como melhorar a flexibilidade da mão.............................140
Figura 11.2.	O mudra de Prithivi trabalha com a energia do dedo anular..141
Figura 11.3.	O mudra Detox, de desintoxicação, ajuda a revitalizar o corpo..142
Figura 12.1.	Um espaço grande entre os dedos anular e mindinho..144
Figura 12.2.	Dedo com uma meia-lua na base da unha....................147
Figura 12.3.	O canal do coração está à esquerda com o ponto C8 destacado. À direita, o fim do canal do coração está à direita da unha, e o canal do intestino delgado inicia-se em seu lado oposto 149
Figura 12.4.	O mudra de Lótus..150
Figura 13.1.	Os vários níveis da posição do polegar. O nível médio está destacado..152
Figura 13.2.	O canal do pulmão, com o ponto P10 157
Figura 13.3.	Pontas dos dedos sobre o chacra da mão....................158
Figura 14.1.	Símbolos de energia eram retratados nas mãos de estátuas hindus e budistas antigas..............................164
Figura 14.2.	As quatro linhas principais: da Vida, do Coração, da Cabeça e do Destino...167
Figura 14.3.	As linhas menores: os Braceletes, o Anel de Vênus e as linhas de Mercúrio e de Apolo...................................168
Figura 14.4.	O Quadrilátero e o Grande Triângulo em relação às linhas maiores..170

Figura 15.1. Possíveis pontos de partida da linha da Vida, em relação à linha da Cabeça 175
Figura 15.2. À esquerda, vários padrões comuns de arcos. O arco em S está à direita.. 177
Figura 15.3. Descubra se a linha de terra termina em água 178
Figura 15.4. Um ponto de acupressão (ponto preto) e o ponto P10 do meridiano do Pulmão em relação com a linha da Vida............. 181
Figura 16.1. A linha do Coração, como é mais comumente encontrada 186
Figura 16.2. Outros caminhos comuns. À esquerda, linhas curvas e curtas; à direita, linhas fortes e altas.......................... 188
Figura 16.3. Os dois pontos de reflexo do chacra do coração estão acima da linha do Coração e o ponto C8 do meridiano do coração está abaixo dela.. 190
Figura 17.1. A área conhecida como mesa da mão ou Quadrilátero, já que se relaciona às linhas do Coração e da Cabeça 194
Figura 17.2. Os vários pontos de partida da linha da Cabeça em relação à linha da Vida 195
Figura 17.3. Vários caminhos, ilustrando linhas da Cabeça: uma curta, uma reta e uma comprida que faz um mergulho íngreme em direção ao Monte de Luna.. 197
Figura 17.4. O mudra Kubera.. 200
Figura 18.1. Comprimentos e caminhos possíveis da linha do Destino.. 205
Figura 18.2. Quebras em sequência (para dentro à esquerda, para fora à direita) 208
Figura 18.3. A linha do Destino em relação ao chacra da mão (círculo grande), o ponto de reflexo do chacra raiz (círculo no interior do círculo grande) e um dos pontos de reflexo do chacra do coração.. 209
Figura 19.1. Linhas de terra: linha da Vida e os Braceletes, mostrando a direção de seu fluxo energético.. 212
Figura 19.2. Linhas de água: linha do Coração e Anel de Vênus, mostrando a direção de seus fluxos energéticos........ 213
Figura 19.3. Linhas de ar: a linha da Cabeça e de Mercúrio, mostrando a direção de seu fluxo energético.. 215
Figura 19.4. Linhas de fogo: a linha do Destino e de Apolo mostrando a direção de seu fluxo energético.. 217
Figura 19.5. O mudra do Eu interior 219

Introdução

Temos um poder extraordinário em nossas mãos. Por meio do processo de aprendizado com elas, podemos descobrir uma riqueza de informações sobre nós mesmos, nossos mundos interno e externo e o que nos motiva. Quando usamos nossas mãos em sintonia com a intenção, podemos rapidamente dar início a mudanças.

Meu interesse pela quiromancia começou há mais ou menos trinta anos, quando recebi um exemplar do livro de William Benham *The laws of scientific hand reading*. Benham foi fundamental ao separar da quiromancia grande parte do misticismo barato que a cercava no início do século XX. Seu trabalho me fascinou e, apesar de na época eu não ter interesse em uma segunda carreira como quiromante, quis saber o que aquilo poderia revelar sobre mim mesma.

Após esse período, passei a me ocupar com a criação de uma incontrolável criança, e houve um longo intervalo de tempo antes que o assunto pescasse novamente meu interesse. Fiz um curso de quiromancia na universidade local e, ao fim da aula, a professora nos ofereceu uma leitura de mãos personalizada. Ela gentilmente permitiu que eu gravasse a análise feita para mim. Muitos anos se passaram, até que achei a fita enquanto arrumava minha casa para uma mudança. Fiquei espantada ao ouvi-la, pois a leitura havia sido muito precisa.

Hoje em dia tenho um interesse diferente pelas mãos, pois elas se tornaram mais importantes para mim. Pode parecer bobeira, mas, desde que fiz aquele curso, virei massagista e praticante de Reiki, e desenvolvi sensibilidade física e energética em minhas mãos. Isso se ampliou com meu estudo dos chacras e mudras (gestos manuais), por meio do treinamento para me tornar professora de Yoga e de minha própria prática de Yoga, assim como meu trabalho com Feng Shui e o estudo da Medicina Tradicional Chinesa.

Nossas mãos são a ligação entre o mundo exterior e nós mesmos. Elas nos ajudam a perceber e compreender o que nos cerca por meio do toque físico e da energia. De acordo com o físico e professor John Napier, a mão, junto com os olhos, "é nossa principal fonte de contato com o ambiente físico".[1] O estudioso católico John O'Donohue escreveu que "toda a história de nossa presença na Terra poderia ser resumida pelo testemunho e pelas ações das mãos".[2] William Benham disse que nossas mãos são "servas do cérebro"[3] e a autora Rita Robinson denominou-as "ferramentas da nossa consciência".[4]

A conexão cérebro/mão é uma via de mão dupla: nossas mãos ajudam o cérebro a reagir ao mundo que nos rodeia. O cérebro direciona a mão e a mão reflete o cérebro. A mestre de Reiki Paula Horan percebeu que somos o que pensamos e que "o corpo é um reflexo da mente".[5] Também pode ser dito que a mão é um reflexo da mente, assim como da pessoa, como um todo. Na Medicina Tradicional Chinesa, ela é utilizada como ferramenta para diagnósticos. Qualquer desequilíbrio de energia que resulte em problemas de saúde pode ser detectado pela mão. Na reflexologia, as mãos (ou os pés) são utilizadas para acessar e corrigir esses desequilíbrios. Por meio dos vários sistemas e práticas que estudei, percebi que temos um grande poder pessoal em nossas mãos. Apesar de diversas culturas e métodos energéticos possuírem raízes e focos diferentes, há muitas semelhanças.

Uma fonte que eu li afirma que a origem da palavra *palmistry** é uma combinação das palavras *palma* e *mistério*.[6] Entretanto, a informação que temos em nossas mãos não é misteriosa – é fácil ter acesso a ela. Outra fonte notou que a palavra *palmistry* deriva das palavras do inglês médio *paume*, que significa "palma" e *estrie,* que significa "estudar".[7] Acho que se encaixa melhor. Nossas mãos carregam o registro de quem somos e do que podemos ser, e mais: temos livre-arbítrio e podemos mudar esse registro. Pelo fato de nossas mãos trazerem mensagens do cérebro e para ele, podemos usá-las para reforçar nossas intenções

---
1. Napier, *Hands*, p. 22.
2. O'Donohue, *Eternal Echoes*, p. 61.
3. Benham, *Laws*, p. 7.
4. Robinson, *Discover Yourself*, p. 17.
5. Horan, *Empowerment Through Reiki*, p. 131.
6. Shipley, *Dictionary of Word Origins*, p. 256.
7. Gettings, *Book of The Hand*, p. 7. Várias escritas do século XV, incluindo *pawmestry*.
*N.T.: Quiromancia em inglês.

e manifestar mudanças. Podemos direcionar o diálogo interno entre o consciente e o subconsciente.

Nossas mãos são uma expressão de quem somos, mas também refletem nossos potenciais, sendo também um registro de como temos desenvolvido e reagido a esses potenciais. No curso que fiz, fiquei intrigada com a classificação do formato das mãos de acordo com os quatro elementos. Todavia, os sistemas ocidentais de quiromancia não vão além disso no que se refere aos elementos. Quando pesquisei a análise de mãos chinesa, tudo fez sentido. Ao incorporar a energia arquetípica dos elementos no estudo das mãos, encontrei uma nova direção a ser explorada em minha jornada pelo autoconhecimento. Desde os tempos antigos, os elementos têm sido empregados como base para explorar e explicar o mundo, o Cosmos e as doenças humanas. Eu descobri que eles também servem como base para explorar o conhecimento único que está escrito em nossas mãos.

Apesar de basear-se na quironomia (o estudo do formato da mão e do dedo) e na quirologia (o estudo das linhas da mão), este não é exatamente um livro sobre quiromancia. Em vez disso, ele apresenta uma forma de energia que se baseia nesses estudos e que se coloca como um método de autoexploração, introspecção, compreensão e comunicação. A quiromancia pode nos ajudar a descobrir nossos potenciais e revelar como eles podem se manifestar em nossas vidas. Entretanto, porque nossas mãos revelam potenciais e não um destino gravado na pedra (afinal, somos feitos de carne e sangue), podemos influenciar intencionalmente o modo pelo qual nos desenvolvemos. O trabalho com energia apresentado neste livro gira em torno desse processo.

O crescimento do trabalho com energia e com terapias corporais nos últimos trinta anos demonstra uma aceitação e uma necessidade de modalidades de cura que funcionem em níveis diversos, porque nós viemos a compreender que a mente e o corpo estão interconectados em múltiplos níveis. Essa expansão de terapias também indica crescimento individual e sofisticação: queremos entender quem somos e como funcionamos. Queremos reunir o corpo com a mente e o espírito.

Ao lermos nossas próprias mãos, descobrimos potenciais – positivos e negativos – que nos permitem ativar o bom e "anular" o mau. Qualquer indicação negativa que acharmos nas mãos não significa que aquilo acontecerá; não é o destino, mas somente um potencial ou uma tendência, assim como qualquer aspecto positivo. É a ação ou o caminho que escolhemos que faz a diferença. Até Benham, que acreditava que as qualidades básicas de uma pessoa eram predeterminadas, disse que se a pessoa tiver um desejo forte de mudar, conseguirá. Ele percebeu que o desejo de mudar "emana do cérebro" e qualquer mudança que fizermos em nós mesmos estará "escrita em nossas mãos".[8]

Pare um pouco agora e olhe para suas mãos. Não faça nenhum julgamento. Simplesmente observe e admire essa parte do corpo que serve como maravilhosa ferramenta e também como receptáculo da nossa sabedoria.

---

8. Benham, *Laws*, p. 6.

1

Nossas Ferramentas Intrínsecas

A maioria das criaturas com quatro membros também tem quatro pés, mas nós, primatas, somos diferentes. Temos dois pés e duas mãos. Apesar de os outros primatas usarem as mãos para locomoção, compartilham conosco o costume de levar comida para a boca, em vez de levarem a boca à comida. Todavia, nós, humanos, não usamos nossas mãos para locomoção e, por isso, ficamos livres para usá-las para desenvolver elaboradas ferramentas.

Podemos considerar a conexão mão/cérebro nos humanos como o enigma do ovo e da galinha: os humanos se tornaram capazes de fazer mais com as mãos porque o tamanho do cérebro se desenvolveu ou o tamanho do cérebro aumentou porque os humanos começaram a fazer mais coisas com as mãos? O antropólogo Sherwood Washburn acreditava que o crescimento do cérebro foi consequência da utilização de ferramentas.[9]

Pesquisas mostraram que a função do cérebro e a das mãos são interdependentes. Antes que um bebê possa se levantar, ele se sentirá atraído pelo movimento e, então, pegará e agarrará de forma instintiva. De acordo com o neurologista Frank R. Wilson, esse é "um dos primeiros comandos que amadurecem no sistema nervoso humano".[10] O gesto de apontar feito por crianças pequenas (de aproximadamente 14 meses de idade) é parte do processo cognitivo, que "é um marco importante do desenvolvimento mental".[11] Pesquisas mostraram que a mão é essencial para o aprendizado, para a percepção e para a expressão.

A função de nossas mãos está presente em praticamente todos os aspectos de nossas vidas diárias, apesar de não nos darmos conta disso enquanto as mexemos ao longo do dia, preparando refeições, usando o

---

9. Wilson, *Hand*, p. 15.
10. Ibid., p. 103.
11. Ibid., p. 50.

computador, tocando música... a lista é interminável. Como Benham disse, nunca houve "nenhum instrumento, máquina ou invenção capaz dessa diversidade de usos que a mão humana tem".[12] Nossas mãos manifestam a intenção de nosso cérebro e, geralmente, o fazem sem "pensar". Por exemplo, enquanto digito este manuscrito, não preciso pensar sobre cada letra que quero colocar na página; eu penso sobre o que quero dizer e deixo minhas mãos fazerem o restante. Não precisamos pensar sobre como ligar o fogão, abrir uma garrafa de leite ou executar centenas de pequenos afazeres. Nossos dias são repletos de tarefas que nossas mãos simplesmente cumprirão por causa da íntima conexão mão/cérebro.

Gestos, costumes e toques

O gesto está associado ao pensamento e à linguagem e serve para reforçar a comunicação. Além das tarefas físicas diárias, nossas mãos realçam e dão suporte para nossa fala. Em todos os idiomas e culturas, nuances e significados particulares são transmitidos pelos gestos.[13] Na Inglaterra elisabetana, um conjunto elaborado de gestos clássicos era utilizado em discursos retóricos, assim como no teatro, para enfatizar um ponto, ou esclarecer ou acrescentar significados.[14]

Há também gestos, como aquele para chamar um garçom no restaurante, que parecem transcender a cultura e são universalmente compreendidos. O sinal de vitória de Winston Churchill carregava um significado muito grande nos anos 1940, assim como na década de 1960, quando se tornou o sinal da paz. Há uma abundância de outros gestos que são provocativos e ofensivos; alguns são universalmente reconhecidos, enquanto outros são culturais.

Os gestos também são utilizados como substitutos da fala quando é preciso lidar com um idioma estrangeiro não familiar ou quando nos encontramos em condições barulhentas que dificultam a comunicação regular. Os indígenas nativos americanos utilizavam uma forma de linguagem de sinais que facilitou a comunicação a grandes distâncias, quando a fala vocal não permitia. Da mesma forma, os bosquímanos de Kalahari, na África, possuem um sistema de sinais manuais que é utilizado quando eles caçam, o que permite que troquem e transmitam informações enquanto se aproximam da presa.

---

12. Benham, *Hand*, p. 147.
13. Wilson, *Hand*, p. 147.
14. Napier, *Hands*, p. 159.

Diversos grupos de pessoas desenvolveram sistemas únicos de sinais manuais, incluindo os monges da Ordem Trapista, que fazem voto de silêncio; apostadores e seus "candongas", que utilizam gestos em códigos; e presidiários que querem se comunicar disfarçadamente. Bede, estudioso e monge beneditino do século XV, desenvolveu um método para contar nos dedos, possibilitando que uma pessoa calculasse quantias de até 9.999.[15] Robert Graves descreveu um elaborado sistema de memorização baseado nas mãos; o sistema relacionava-se à árvore alfabética que os bardos celtas utilizavam para lembrar-se de um vasto número de canções e poemas e para transmitir sinais secretos em épocas de agitação política. E, é claro, há a língua de sinais para os surdos, que foi criada na França em 1759.[16]

Além do discurso verbal ou de sinais, o uso do toque como comunicação pode ser mais forte do que as palavras. Colocar a mão no ombro de uma pessoa é um toque comunicativo de conforto. Segurar as mãos é uma comunicação de proteção entre uma criança pequena e um parente, além de também ser uma comunicação íntima entre amantes. Balançar as mãos pode ser considerado mais uma saudação de convívio do que meramente um cumprimento, mas, como em outras comunicações por toque, pode ser influenciado por costumes sociais e culturais.

Quando se trata de dança, há imensa diferença entre os estilos ocidental e oriental. Nas culturas ocidentais, os pés são o que importa e as mãos simplesmente pegam carona. Em algumas culturas orientais, movimentos espantosos e intrincados das mãos podem contar histórias inteiras.

Mudras, chacras e portões energéticos

Os mudras estão cada vez mais conhecidos no Ocidente, mas principalmente na comunidade da Yoga ou entre estudantes de disciplinas orientais. Mudras são posições das mãos que podem significar ou simbolizar algo místico ou evocar alguma energia. Eles podem representar um estado de consciência e ajudar o praticante a alcançar esse estado. De acordo com a autora e professora de Yoga Gertrud Hirschi, o mudra "envolve certas áreas do cérebro e/ou da alma e exerce uma influência sobre elas".[17] Graças à conexão mão/cérebro, Hirschi também percebeu que "nós podemos envolver e influenciar de forma eficaz nosso corpo e nossa mente" por meio do uso dos mudras.[18]

---

15. Huntley, "Venerable Bede", p. 48.
16. Ibid., p. 156.
17. Hirschi, *Mudras*, p. 2.
18. Ibid., p. 3.

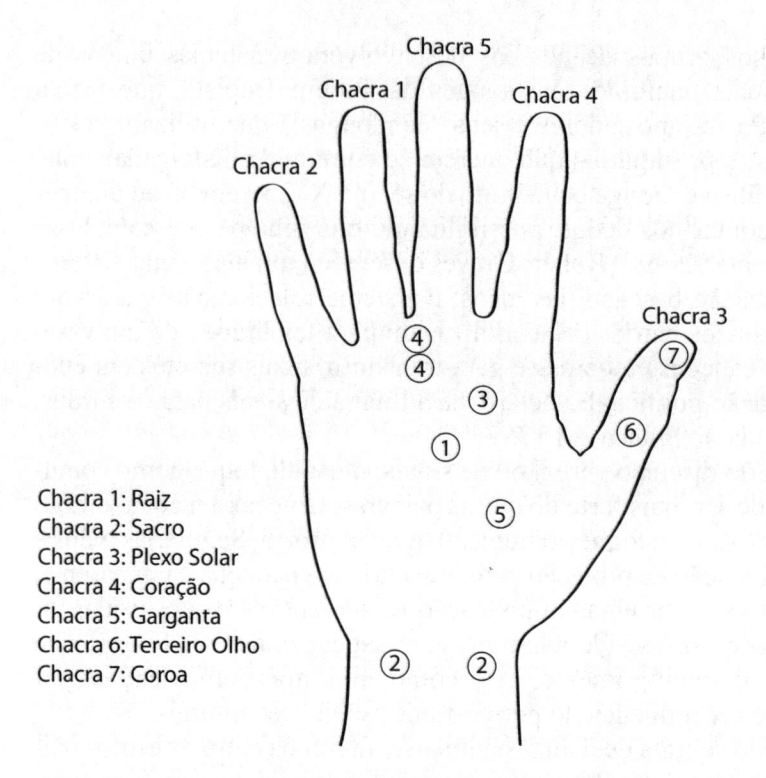

Chacra 1: Raiz
Chacra 2: Sacro
Chacra 3: Plexo Solar
Chacra 4: Coração
Chacra 5: Garganta
Chacra 6: Terceiro Olho
Chacra 7: Coroa

Figura 1.1: A associação dos chacras com os dedos e os pontos de reflexo dos chacras na mão.

O mudra mais conhecido, chamado Jnana ("ju-YA-na"), é criado pela formação de um círculo com o polegar e o dedo indicador; os outros dedos ficam relaxados, apontados para cima. Nesse mudra, o polegar representa a consciência cósmica/divina e o indicador representa a consciência humana. Uni-los representa o surgimento de nossa consciência e da conexão com sua fonte.

Outro mudra bem conhecido é o Atmanjali, que também é chamado de posição de oração. As mãos ficam na frente do coração, com as palmas juntas. Esse mudra é uma expressão de gratidão e reverência. Sua energia engendra equilíbrio e paz, enquanto ativa e harmoniza a função dos hemisférios esquerdo e direito do cérebro.

A origem dos mudras é desconhecida; contudo, de acordo com Hirschi, eles são um "componente de todas as atividades religiosas".[19] Pense em qualquer culto religioso que você tenha presenciado e provavelmente

---
19. Ibid., p. 5.

se lembrará do uso de algum tipo de mudra, seja de um padre cristão dando a bênção ou de uma sacerdotisa pagã preparando bolos e cerveja. No Budismo esotérico, o estudo dos gestos ritualísticos foi parte integral da educação, por causa da crença de que certas posições das mãos "se relacionavam a diferentes níveis de consciência"[20] e de que "a arte da análise da mão tornou-se uma metáfora para evolução espiritual, na qual cada aspecto da análise forma paradigmas da consciência de Buda e do desenvolvimento espiritual".[21]

As mãos carregam importantes símbolos, e o mudra representa e evoca conceitos particulares ou expressa certos estados da mente. Utilizá-lo com meditação e exercícios de respiração enriquece a experiência. Combinar intencionalmente mudras específicos pode ajudar na cura ou na transformação, enquanto focamos nossa energia em manifestações positivas. Em cerimônias espirituais, deixar as mãos unidas não é apenas uma comunicação por meio do toque, mas também a transferência de energia por meio das mãos.

Apesar de não ser completamente compreendida, a energia de cura tem sido usada na maioria das culturas e muitas pessoas tentam explicá-la. O médico intuitivo Michael Bradford a descreve como bioeletromagnética, pois "parece carregar uma carga elétrica, possuir magnetismo e ser produzida naturalmente pelo corpo humano".[22] Essa energia universal, ou força vital, é mais popularmente conhecida como *chi* (também grafada como *qi*). Também é chamada de energia interna, porque não é discernível pelo observador casual.

Há aproximadamente 5 mil anos, durante o período védico na Índia, essa energia foi estudada e hoje sabemos como o sistema de chacras foi desenvolvido. Há milhares de pontos de energia ao longo do corpo, que variam de simples junções energéticas (*sandhis*) e centros energéticos secundários (pontos *marma*) a grandes centros energéticos (*chacras*). Os sete maiores chacras vão desde a base da coluna até o topo da cabeça. Cinco desses chacras se alinham à coluna e se associam ao polegar e aos dedos. Todos os sete grandes chacras possuem pontos correspondentes na mão.[23] Dez dos pontos marma estão localizados nas mãos – um em cada ponta dos dedos e dos polegares.

Além dos sete grandes chacras, há também chacras menores ao longo do corpo. Os que nos interessam, é claro, são os chacras das mãos, localizados no centro das palmas. De acordo com Paula Horan, os chacras

---

20. Tomio, *Chinese Hand Analysis*, p. 14.
21. Ibid., p. 11.
22. Bradford, *Hands-On Spiritual Healing*, p. 39.
23. Saint-Germain, *Karmic Palmistry*, p. 89.

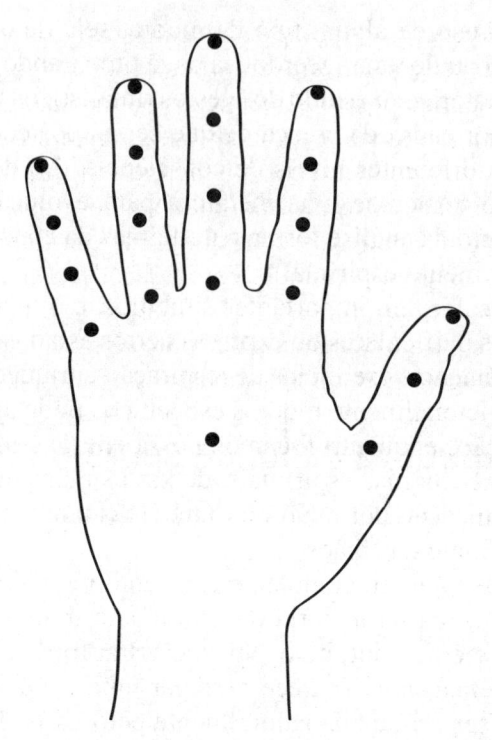

Figura 1.2: Vinte portais Chi kung *estão nas palmas das mãos. Há outro portal energético localizado nas costas da mão, exatamente na direção do centro da palma.*

das mãos nos ajudam, de forma simbólica, a dar e receber, a alcançar objetivos e a nos mantermos na realidade.[24] Além disso, eles se associam ao chacra do coração e dão apoio ao seu fluxo de energia. Por estarem conectados com o coração, os chacras das mãos se associam ao amor, à compaixão e à criatividade. Os chacras das mãos são naturalmente úteis em terapias de toque e outras modalidades nas quais há um envolvimento emocional. Veja a parte prática, no final deste capítulo, para informações sobre a abertura dos chacras das mãos utilizando cristais.

Chi kung significa, literalmente, "trabalho energético" e envolve o controle intencional da força energética da vida no corpo. Desenvolvido há aproximadamente 3 mil anos, é um sistema de autocura que previne problemas de saúde crônicos.[25] Além disso, seus praticantes percebem que ele propicia clareza mental e pode ser utilizado para limpar bloqueios de energia. Portais energéticos são descritos como grandes estações de

---
24. Horan, *Empowerment Through Reiki*, p. 134.
25. Frantzis, *Opening The Energy Gates*, p. 2.

retransmissão de energia. Apesar de a localização exata variar de pessoa para pessoa, muitos se localizam nas articulações e alguns, nos pontos de acupuntura. Cada mão possui 21 pequenos portais energéticos (fig.1.2).

Em *Chi kung*, a mente é utilizada para transmitir consciência pelo corpo e direcionar o movimento da energia em um fluxo descendente, abrindo os portais. A respiração pode ser coordenada, ajudando na abertura dos portais e fazendo com que a energia flua. Para isso, simplesmente pense estar assoprando, com delicadeza, a energia ao longo de seu caminho.

O centro da palma é chamado de "olho da mão" e possui um portal energético correspondente no lado oposto (frente/trás).[26]

Uma perspectiva histórica sobre a importância não física das mãos

A mão tem sido símbolo de poder desde o fim do período paleolítico (de 20 mil a 10 mil a.C.) na França e na Espanha. Marcas de mãos femininas foram encontradas em cavernas antigas, geralmente dispostas em colunas ou em linhas.[27] Padrões manuais também foram encontrados na famosa caverna Lascaux, na França. Na caverna Gargas, na Espanha, foram descobertas 150 impressões de mãos em amarelo e preto. Essas marcas simbolizavam o toque de energização da Grande Mãe Deusa, que estimulava "o processo de tornar-se".[28] A mão era também a "força espiritual e física" que permitia os avanços da humanidade.[29] Além disso, representava a habilidade humana de providenciar comida e segurança, e simbolizava a bênção de abundância outorgada pela Deusa.

Na Turquia neolítica (por volta de 7000 a.C.), as imagens das mãos simbolizavam o poder da Deusa de estimular e regenerar a vida, o poder do nascimento e do renascimento. Marcas de mãos em vermelho (simbolizando a vida) e em preto (simbolizando a fertilidade) foram descobertas na cidade de Çatal Hüyük. Essas imagens continham uma área vazia no centro da palma, dentro da qual havia um ou mais pontos.[30] Foram encontradas junto com outros desenhos que simbolizavam fecundidade e abundância.

---

26. Ibid., p. 67.
27. Gimbutas, *Language of The Goddess*, p. 305.
28. Ibid., p. 277.
29. Streep, *Sanctuaries of The Goddess*, p. 25.
30. Gimbutas, *Language of The Goddess*, p. 277.

Nos tempos bíblicos, acreditava-se que as mãos possuíam um poder e uma força extraordinários, a exemplo de Moisés, que esticou as mãos sobre o mar para dividir as águas. Além disso, a antiga iconografia cristã utilizava a mão para simbolizar o poder e a presença de Deus.

O poder e o mistério da mão continuaram fascinando as pessoas, e algumas formas de leitura manual foram utilizadas em civilizações antigas da Babilônia, China, Egito, Grécia, Pérsia, Império Romano e Tibete. Por volta de 530 a.C, o filósofo e matemático grego Pitágoras escreveu *Physiognomy and Palmistry*. Mais tarde, outro filósofo grego, Aristóteles (384-322 a.C), mostrou-se um entusiasta da quiromancia e escreveu sobre isso em várias de suas obras. Na Roma antiga, a quiromancia era "considerada um objeto digno de estudo".[31] Tanto os romanos quanto os gregos associavam as características das mãos aos planetas – essa associação ainda é utilizada na quiromancia ocidental moderna. Os antigos acreditavam que, além de revelar temperamentos e personalidades, as mãos poderiam também revelar o ofício da pessoa.

Enquanto na Europa a quiromancia deixou de ser utilizada ao longo de muitos séculos, permaneceu como uma prática comum no Oriente Médio. Por meio do comércio e do contato com o povo árabe, ela voltou à Europa. O estudo sobre as mãos realizado pelo médico árabe Avicenna (980-1037) foi incluído no currículo de escolas de medicina europeias, e universidades alemãs ofereceram cursos de quiromancia entre 1650 e 1730.[32] No início da Idade Média, a leitura de mãos passou a ser vista com maus olhos pela Igreja Cristã, em razão de práticas inescrupulosas exercidas por pessoas que não entendiam o suficiente de quiromancia. Por ironia, o terceiro livro impresso na gráfica de Guttenberg era sobre quiromancia.[33] A quiromancia passou por outra onda de interesse na Europa quando mais livros foram publicados em 1839 e 1859 na França, onde se originou a quiromancia moderna.[34]

Os brâmanes praticaram a leitura de mãos como uma ciência durante o período védico indiano (cerca de 2000 a.C.) e ela passou a ser considerada como uma das mais antigas artes de adivinhação. Da Índia espalhou-se para o oeste, em direção ao Oriente Médio e depois Europa, e também para o leste, rumo ao Tibete, à China e ao Japão. Os registros mais antigos sobre quiromancia na China datam da Dinastia

---

31. Napier, *Hands*, p. 46.
32. Dathen, *Practical Palmistry*, p. 9.
33. Wilson, *Hand*, p. 300. A invenção revolucionária de Johann Guttenberg de tipografia móvel, nos anos 1450, permitiu a primeira produção em massa de livros, propiciando o acesso à leitura para mais pessoas. O primeiro livro que ele produziu foi a Bíblia.
34. Greer, *New Encyclopedia*, p. 360.

Zhou (1122-770 a.C.).[35] Ao tomar o leste e ser modificada pelos monges budistas, a quiromancia na China foi influenciada pelas artes de cura aiurvédicas da Índia. Graças a essa associação com a cura, a quiromancia assumiu um papel que a distanciou radicalmente da associação com o ocultismo feita pelos europeus.

A mão nas artes de cura

Na Grécia Antiga, as mãos e os poderes divinos eram equiparados. Por exemplo, o deus Apolo curava por meio do toque. Asclépio, a quem se atribui o desenvolvimento da Medicina, utilizou o toque das mãos para curar. Essa prática, também presente na Bíblia (Marcos 16:18), foi utilizada por reis da Idade Média e ainda é empregada atualmente em cerimônias eclesiásticas.[36]

A Medicina Tradicional Chinesa e as práticas médicas holísticas ocidentais aderiram à crença de que "a parte contém o todo". Também se acredita que mapas do corpo inteiro podem ser encontrados nas mãos e nos pés – a base da reflexologia –, que são utilizados como fontes de informação para diagnosticar e tratar doenças. Como afirma Gertrud Hirschi, temos "uma grande influência sobre todas as áreas do corpo, por meio dos dedos e/ou das mãos".[37]

De acordo com a Medicina Tradicional Chinesa e a aiurvédica, *chi*/energia circula pelo corpo duas vezes durante um período de 24 horas, pelos meridianos ou canais.[38] Os meridianos, em chinês *jing-luo*, têm sido descritos como se possuíssem a estrutura de uma rede. A palavra *jing* significa "ir através" ou "o fio em um tecido", e *luo* significa "algo que conecta" ou "uma rede".[39] Quando a energia flui com liberdade e leveza, o corpo fica forte e saudável. Quando ela é impedida de circular e fica bloqueada, desequilíbrios podem ocorrer, levando a distúrbios e doenças. A causa para um desequilíbrio de energia se origina na teoria dos cinco elementos. Na China, eles diferem dos elementos ocidentais, porém, de acordo com o autor Gary Liscum, são análogos.[40] Iremos nos aprofundar nesses elementos no próximo capítulo.

---

35. Zong e Liscum, *Chinese Medical Palmistry*, p. 2.
36. McNeely, *Touching*, p. 11.
37. Hirschi, *Mudras*, p. 25.
38. Galante, *Tai Chi*, p. 60.
39. Kaptchuk, *Web*, p. 105.
40. Zong e Liscum, *Chinese medical palmistry*, p. 57.

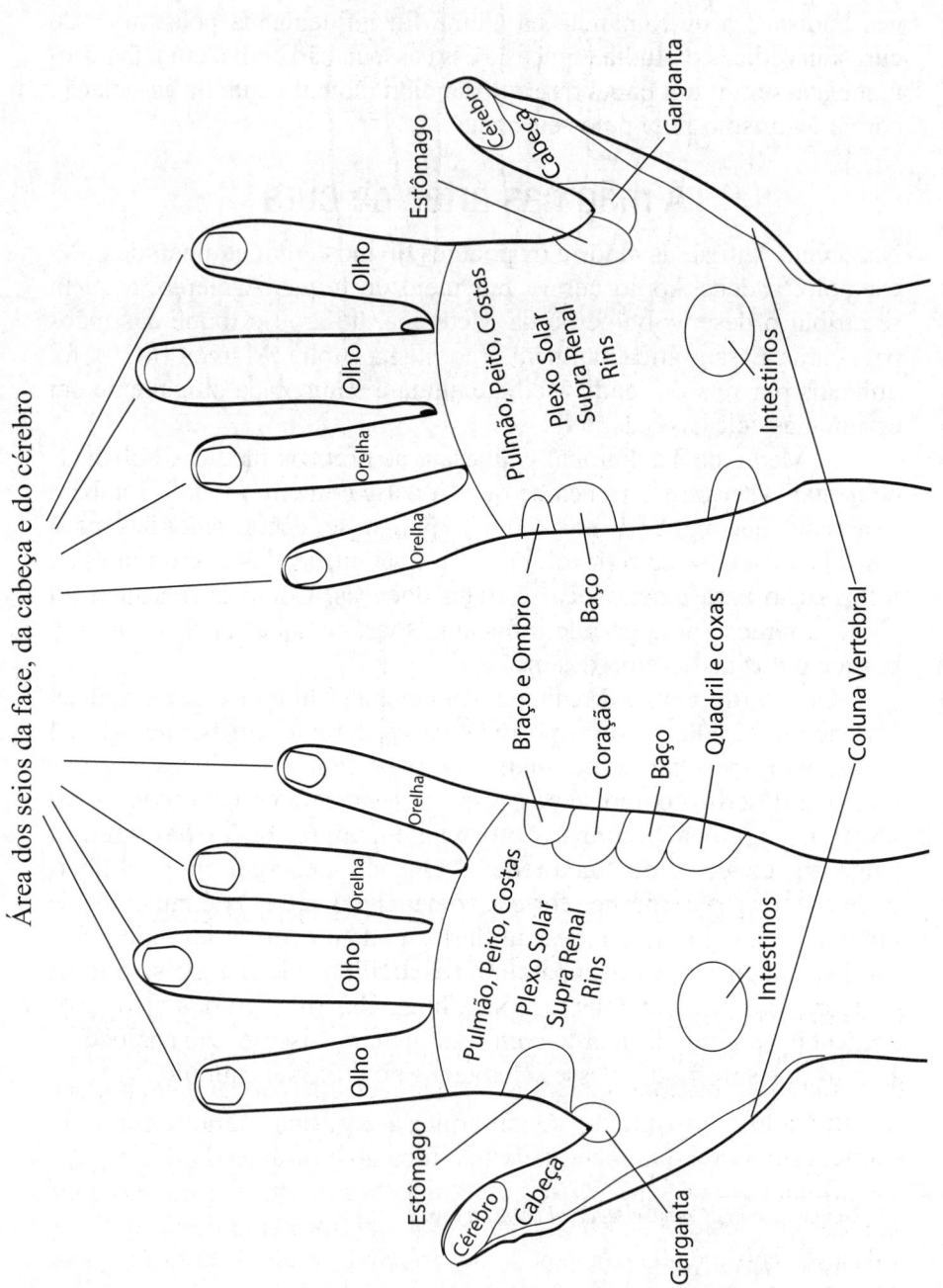

Figura 1.3. Um mapa reflexológico parcial das mãos.

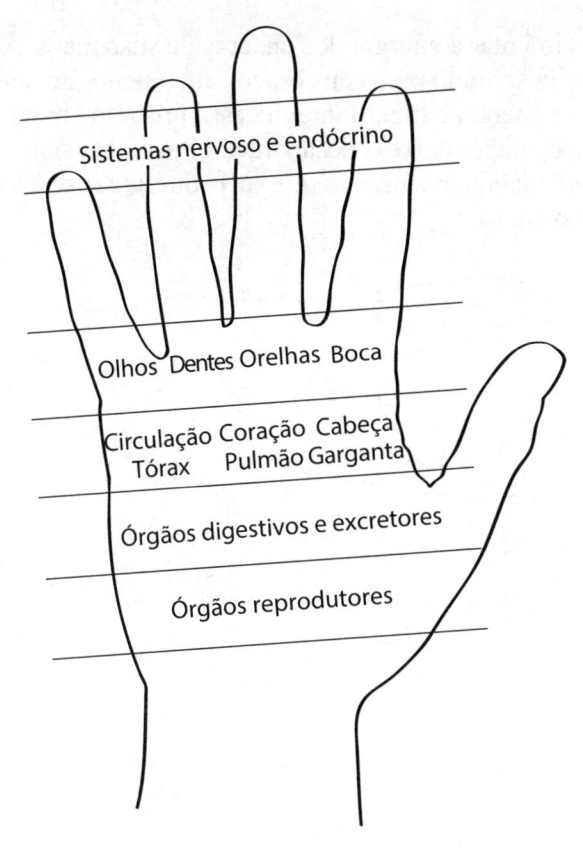

Figura 1.4. Um mapa da mão de acordo com a medicina moderna.

Prática: abrindo os chacras das mãos com cristais

Um modo de ativar a energia dos chacras das nossas mãos é segurar cristais entre as palmas. O quartzo rosa funciona muito bem, mas outros cristais associados à energia do chacra do coração também podem ser utilizados. Isso inclui: aquamarine, aventurina, heliotrópio, diamante, esmeralda, jade, pedra da lua, topázio e turquesa.

Qualquer que seja o cristal escolhido, segure entre as palmas com as mãos em posição de oração, como foi anteriormente descrito. Leve toda a sua consciência para a pedra. A princípio, você a sentirá fria, mas à medida que ela esquentar com o calor de seu corpo, você sentirá um leve pulsar. Esteja ou não sentindo essa vibração, visualize a energia do cristal movimentar a energia dos chacras de suas mãos. A seguir, visualize a energia subindo para seus braços até o peito, no coração. Sinta-se rodeado por energia e luz. Mantenha essa imagem em mente por alguns momentos e, então, deixe-a desaparecer. Posicione suas mãos no colo e permita que qualquer sensação que surja durante esse exercício siga seu curso e desvaneça.

2

Os Elementos

As pessoas têm utilizado vários métodos para explicar e entender o mundo ao seu redor, assim como a si mesmas. Nossos ancestrais viviam mais próximos do mundo natural e, por isso, a natureza serviu como a primeira "referência para medir as coisas".[41] Acreditava-se que os elementos, as estações e as condições climáticas relacionavam-se à condição humana, às personalidades e à saúde. Os humanos eram considerados como versões em miniatura do Universo e, portanto, acreditava-se que o corpo físico "devia conter a essência de todos os elementos do Cosmos".[42]

Na cultura ocidental, quando falamos dos elementos, estamos nos referindo, de forma genérica, à água, à terra, ao ar e ao fogo. Os elementos encontram-se no centro da criação e carregam as energias arquetípicas primárias que existem em todas as coisas, incluindo os humanos. Os elementos podem ser vistos como abstrações e se originam de "ideias que surgem de algo direto e natural".[43]

A ideia de que eles são os tijolos ou os "princípios organizadores" do mundo é um conceito que pode ser encontrado em praticamente todas as culturas.[44] Os elementos têm sido descritos de forma variada, como espíritos, naturezas vibracionais e a manifestação de "inteligência consciente na natureza".[45] Nesse sentido, eles são percebidos como a base do mundo/universo físico e da consciência. Dessa forma, funcionam em nossos ambientes externos e internos. Em essência, são nossos guias e "professores ativos de consciência".[46] Eles agem como raízes, tanto na esfera física quanto na mental.

---

41. Tomio, *Chinese Hand Analysis*, p. 23.
42. Curtiss, *Inner Radiance*, p. 188.
43. Lipp, *Way of Four*, p. 10.
44. Fontana, *Secret Language of Symbols*, p. 180.
45. Curtiss, *Inner Radiance*, p. 177.
46. Michaels, *Elemental Forces of Creation*, p. 4.

Muitas culturas têm utilizado várias formas de simbolismo para explicar e interpretar os ambientes externos e internos. Os elementos, com suas inúmeras correspondências, oferecem um terreno rico, pois tocam em muitos aspectos universais que podem ser aplicados à vida diária.

Os elementos são componentes importantes da astrologia, da alquimia, da medicina, do tarô e da mitologia. Criaturas fantásticas, como o dragão, são misturas simbólicas dos quatro elementos. Por exemplo, o dragão sente-se em casa quando há os três elementos permanentes da terra, água e ar (solo, mar e céu) e, é claro, é conhecido por sua habilidade de soprar fogo. Os naipes do tarô baseiam-se nos elementos e transmitem suas correspondências. As medicinas grega antiga, indiana aiurvédica e tradicional chinesa integraram os elementos em seus diagnósticos médicos.

Através da lente dos quatro elementos, há uma estrutura com a qual podemos ver e compreender o mundo ao redor e dentro de nós. Os elementos fornecem pilares para nosso mundo. Quanto mais utilizamos o simbolismo presente neles, mais fácil é compreender seus aspectos correspondentes em um nível intuitivo, à medida que esses aspectos tornam-se mais pessoais e partes de nós mesmos. Por meio disso, podemos alcançar um autoconhecimento mais profundo, que revela nossa natureza e consciência verdadeiras. Os símbolos agem como espelhos que refletem outras coisas, as quais encontramos em correspondências. Quando aprendemos a importância dos reflexos, o valor das correspondências vem à tona.[47]

Na psicologia jungiana, os elementos unem-se aos quatro tipos de personalidade: intuitiva (fogo), sensorial (terra), pensativa (ar) e sentimental (água).[48]

Uma perspectiva histórica dos elementos

A teoria dos elementos foi formulada pelo filósofo grego Empédocles, em sua *Tetrasomia, ou Doutrina dos quatro elementos* (em aproximadamente 500 a.C).[49] Nele, Empédocles notou que tudo no Universo existe por causa de alguma combinação entre os quatro elementos. Além disso, percebeu que nada consistia pura e completamente em um único elemento. Quando essa teoria se associa aos humanos, percebemos

---
47. Tomio, *Chinese Hand Analysis*, p. 27.
48. Lipp, *Way of Four*, p. 55.
49. Ibid., p. 13.

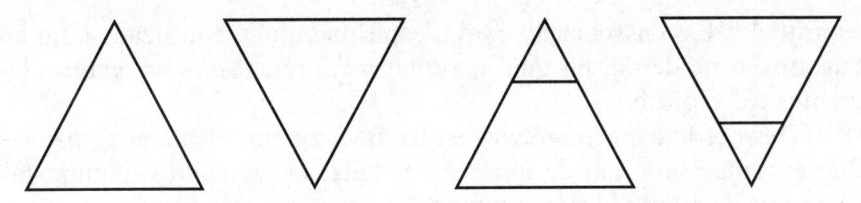

Figura 2.1. Os simples símbolos gráficos alquímicos dos elementos. Da esquerda para a direita: fogo, água, ar e terra.

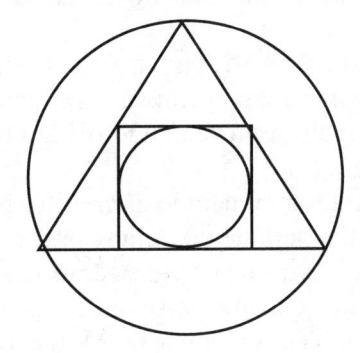

Figura 2.2. Ideograma do século XVII para a arte da Alquimia.

que ninguém possui características associadas somente a um elemento. Tudo e todos são combinações de energias elementares.

Outros filósofos exploraram a noção de que os quatro elementos surgiram de um quinto, desconhecido, considerado por eles como mais refinado. Como resultado disso, deram a este mais importância do que aos outros. Enquanto se aceitava que tudo era feito a partir da combinação dos quatro elementos "comuns" da matéria, acreditava-se na mais "perfeita representação da matéria – o quinto elemento, o éter".[50]

O ponto físico divisor entre os quatro elementos-base (abaixo) e o mais refinado elemento do éter (acima) era a Lua. Os elementos do ar, água, fogo e terra eram terrestres, seu lugar apropriado no Universo. Essa noção, originada em Aristóteles, classificou os quatro elementos em regiões mais baixas da natureza. A região mais alta, o céu, era domínio do quinto elemento, chamado por ele de éter. Era o elemento que existia quando o divino habitava a Terra, o que lhe deu uma qualidade

---

50. Shermer, *Borderlands of Science*, p. 144.

espiritual.⁵¹ Essa associação com o espiritual ainda é utilizada hoje no Paganismo moderno, no qual o pentagrama representa os quatro elementos e o espírito.

De acordo com Aristóteles e Platão, os quatro elementos (matéria diferenciada) surgiram de uma única fonte. Os primeiros alquimistas (em cerca de 300 a.C.) também reconheceram isso. Na Alquimia medieval, os elementos entrelaçavam-se com a substância da pedra filosofal. "Se a pedra filosofal era realmente um objeto, ou produto do processo alquímico, ou, ainda, um estado espiritual, isso dependia da teoria do alquimista."⁵²

O ideograma do século XVII para a arte da Alquimia consistia em um pequeno círculo representando a água, com um quadrado representando a terra, um triângulo representando o fogo e um círculo grande representando o ar (fig. 2.2).⁵³

Apesar de Hipócrates ter recebido os créditos pelo desenvolvimento da teoria dos quatro temperamentos, ela se originou provavelmente de uma fonte oriental.⁵⁴ A prática de categorizar as pessoas de acordo com os quatro temperamentos relacionava-se tanto aos tipos de personalidade quanto a propensões físicas e doenças. Muitas culturas acreditavam que manter os elementos equilibrados no corpo era importante para a saúde física e psicológica. A doença era resultado de elementos que saíam do equilíbrio. Os temperamentos eram a combinação de duas das quatro qualidades básicas: quente, frio, seco e úmido.

Tabela 2.1. A relação entre os elementos e os temperamentos

Fogo	Quente, seco
Água	Frio, úmido
Ar	Quente, úmido
Terra	Frio, seco

Apesar da teoria dos temperamentos, na maioria das culturas ocidentais os elementos foram associados principalmente a aspectos da personalidade e do Eu. No Oriente, eles foram associados de forma mais notável com partes do corpo.

---

51. Lewis, *Discarded Image*, p. 4.
52. Ede e Cormack, *History of Science*, p. 66.
53. Liungman, *Dictionary of Symbols*, p. 255.
54. Gettings, *Book of The Hand*, p. 39.

Quatro elementos – cinco elementos

De modo geral, as culturas ocidentais acreditam que há quatro forças de energia que criaram e mantiveram o mundo. Como já foi mencionado, os filósofos gregos teorizaram sobre um misterioso quinto elemento. Nas culturas orientais, há cinco forças elementares básicas. No Tibete e na Índia, o quinto elemento foi reconhecido como o espírito ou éter (fig. 2.3).[55] Como já vimos, o éter de Aristóteles era um elemento refinado, separado dos outros quatro e também associado ao espírito.

Na China, os cinco elementos são o fogo, a terra, a água, o metal e a madeira. A madeira é considerada o elemento do espírito, que sustenta a força de energia da vida. Cinco elementos são utilizados no sistema chinês, que divide a vida em cinco aspectos, assim como a *quirologia* (o estudo das linhas e formatos das mãos).

A figura 2.1, como mostrada na página 33, ilustra o símbolo básico de cada um dos quatro elementos ocidentais como triângulos. Há uma razão por trás disso: quando eles se unem, "representam todo o mundo físico".[56] Um círculo dividido em quatro partes representa essa união. O símbolo também tem sido utilizado para representar o elemento terra (fig. 2.4).

Os elementos já foram também representados de forma mais simples, com uma cruz, que revela a polaridade criada por dois opostos que se cruzam. Terra e água são pares complementares, assim como o fogo e o ar. Terra e ar são opostos antagônicos, assim como o fogo e a água (fig. 2.5).

Apesar da contradição entre eles, exibida no emblema da cruz, a combinação dos elementos cria equilíbrio e completude (círculo dividido em quatro partes). Esse símbolo elementar corresponde à representação moderna do Eu.[57] John Dee (1527-1607), astrólogo da rainha Elizabeth I da Inglaterra, explicou o emblema da cruz como se os elementos (linhas retas) irradiassem do centro da natureza – o ponto do Sol. A *quintessência* (de *quinta essentia* ou quinta essência/elemento) é o ponto no qual os quatro elementos se encontram.[58]

---

55. Fontana, *Secret Language of Symbols*, p. 180.
56. Jung, *MysteriumConiunctionis*, p. 460.
57. Ibid., p. 505.
58. Liungman, *Symbols*, p. 95.

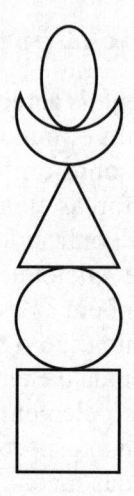

Figura 2.3. O pilar tibetano é uma representação física da ordem dos elementos. De cima para baixo (do mais leve para o mais pesado): éter, ar, fogo, água, terra.

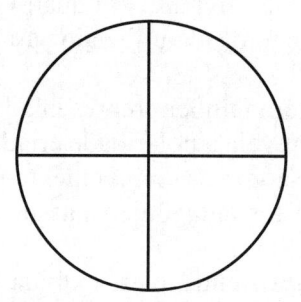

Figura 2.4. Os quatro elementos unidos e completos.

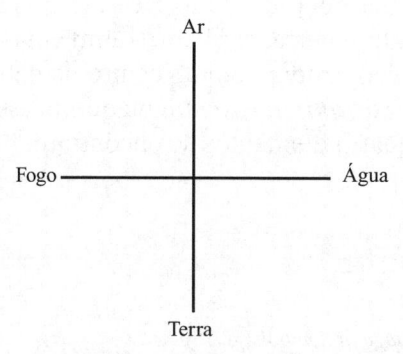

Figura 2.5. O cruzamento alquímico dos elementos.

Tabela 2.2 – Os elementos na quirologia e em outras culturas

Elemento	Quirologia	China	Índia
Terra	Físico	Terra	Terra
Água	Emoções	Água	Água
Fogo	Criatividade	Fogo	Fogo
Ar	Intelecto	Metal	Ar
Éter/Quintessência	Espiritualidade	Madeira	Espírito

No próximo capítulo, veremos a relevância do círculo dividido em quatro partes para o autoconhecimento e o equilíbrio na forma dos quadrantes. A interação contínua entre os elementos cria a mudança e, por isso, estamos em constante movimento. Se permanecermos abertos e receptivos às mudanças, poderemos explorar os elementos e aprender a viver em sintonia com nossa verdadeira natureza, assim como com o mundo natural. Podemos descobrir como equilibrar e alinhar a energia para manifestar o verdadeiro Eu.

Os arquétipos elementares

Um elemento arquetípico é um conjunto de traços ou certas características que correspondem a atributos de um elemento. É raro alguém se encaixar completamente em um arquétipo, porque nós somos a combinação de atributos elementares. No mundo físico, isso vale para os próprios elementos, pois mesmo a água é composta por ar, e a terra pode conter água.

O que fazemos e o que nos atrai (intencionalmente ou de forma subconsciente) são resultado da forte atração que um elemento em particular possui sobre nós. Quando tentamos alcançar o autoconhecimento, podemos obter uma compreensão melhor das forças que nos direcionam e, então, desenvolver um papel mais ativo na determinação do curso de nossas vidas. Podemos simplesmente pegar o ônibus e ir para onde ele nos levar ou podemos nos sentar no banco do motorista e guiar o ônibus para onde quisermos. O primeiro passo é descobrir para onde queremos ir.

Arquétipo Terra – A pessoa prática

A terra é o elemento da forma e da manifestação. Pessoas que têm fortes características da terra são bem... terrestres. São práticas, confiáveis e gostam da tradição. São úteis no processo de passagem de uma geração para outra. As crianças são bem educadas – nem sempre pela escola, mas nas artes práticas que mantêm a sociedade. Pessoas de terra tendem a se tornar arquitetas, artesãs, *designers*, engenheiras, donas de casa, babás e também podem se tornar pessoas que mexem com o solo. Elas gostam de fazer as coisas de seu jeito e, por serem almas honestas, nunca trairão nem enganarão.

Pessoas de terra gostam da rotina e utilizarão estratégias metódicas para resolver problemas. Podem parecer mais cuidadosas do que a maioria, pois se preocupam com as coisas básicas da vida para criar uma base segura e estável para si e para os outros. Elas são provedoras comprometidas com o lar e com a família e se apoiam firmemente em

Figura 2.6. Símbolos do elemento terra.

necessidades realistas. Pessoas de terra são pacientes e seu legado é duradouro. O senso comum é importante para elas. São tenazes, bem equilibradas e emocionalmente estáveis. Pessoas de terra são táteis e sensuais e aceitam a sabedoria do corpo. Honram o mundo natural e seus ciclos. Aqueles que não compreendem as pessoas de terra podem vê-las como teimosas, tolas ou resistentes à mudança.

Tabela 2.3. Correspondências do elemento terra

Energia: feminina, yin.	Tipo junguiano: sensorial
Signo solar: Touro, Virgem, Capricórnio	Sentido: toque
Cores: marrom, cinza, bege, verde	Estágio da vida: terceira idade
Plantas: musgos, líquens, plantas baixas	Direção: Norte
Metais: ferro, chumbo	Estação: Inverno
Tarô: Discos/Pentáculo/Moedas	Hora do dia: meia-noite
Ferramenta mágica: Pentagrama	

Arquétipo Água – A pessoa sentimental

A água é o elemento da emoção e da mudança. Pessoas que possuem fortes características de água são sentimentais, empáticas e cuidadosas. A amizade é muito valorizada e elas sabem como manter a confiança. Trair um segredo é muito doloroso para elas. Pessoas de água são protetoras e bastante cuidadosas quando se trata dos filhos. Suas emoções são fortes, mas quando estão aterradas conseguem ser muito criativas, por causa da perspectiva única que possuem do mundo.

As emoções são profundas, mas também fluem próximas à superfície, fazendo com que as pessoas de água sejam compassivas, mas também abertas às pedras e flechas do mundo. Por causa disso, ferem-se facilmente e tendem a se afastar para sua própria proteção, algumas vezes a ponto de parecer reclusas.

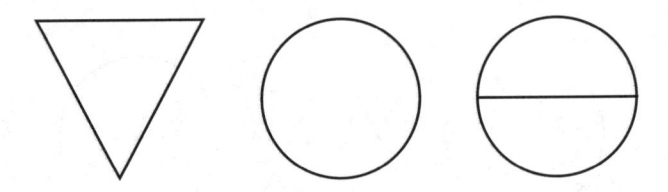

Figura 2.7. Símbolos do elemento água.

As pessoas de água são boas observadoras com a combinação do intelecto, intuição e imaginação. Elas tendem a se tornar terapeutas, conselheiras, clérigas, parteiras ou psicólogas, ou também podem se envolver com o teatro de alguma forma.

Elas nutrem uma grande apreciação pela beleza e a experimentam em um nível quase sensual. Quando seu perfeccionismo sai do controle, as pessoas de água podem se retrair. Aqueles que não as compreendem podem considerá-las temperamentais, caladas, sensíveis demais ou muito frágeis.

Tabela 2.4. Correspondências do elemento água

Energia: feminina, yin.	Tipo junguiano: sentimental
Signo solar: Câncer, Escorpião, Peixes	Sentido: paladar
Cores: azul-escuro, verde turquesa, violeta	Estágio da vida: maturidade
Plantas: nenúfares, algas, suculentas	Direção: Oeste
Metais: mercúrio, prata, cobre	Estação: Outono
Tarô: Taças	Hora do dia: crepúsculo
Ferramenta mágica: taça, caldeirão	

Arquétipo Ar – O intelectual

O ar é o elemento da mente, da sabedoria e do conhecimento. A palavra *inspiração* possui dois significados e ambos se associam ao elemento ar. "Inspirar" é algo fisicamente conectado com o ar e "ter uma ideia", é claro, se relaciona com a mente. A pessoa de ar considera a mente algo muito importante.

Pessoas de ar são racionais, inteligentes, espirituosas e divertidas. Ao colocar a lógica antes da intuição, tendem a pensar, em vez de sentir o caminho em uma situação. Sua cabeça manda no coração. São cerebrais e adoram conversar, são muito sociáveis e gostam de se divertir. Muitas vezes extravagantes, as pessoas de ar deleitam-se com o reconhecimento e têm um bom senso de humor.

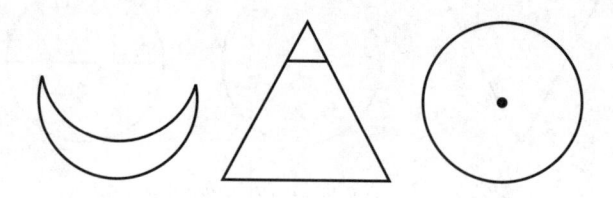

Figura 2.8. Símbolos do elemento ar.

Mais do que serem o centro das atenções, as pessoas de ar amam desafios intelectuais. Sua curiosidade provê um rol infinito de interesses e, às vezes, de aventuras. Precisam de estímulo e de espaço, caso contrário sua natureza incansável entra em ação. Elas evitam, a qualquer preço, sentirem-se presas.

Por serem automotivadas e boas comunicadoras, e também por agirem bem sob pressão, elas tendem a se tornar professoras, escritoras, estudiosas, inventoras e personalidades da mídia. Aqueles que não compreendem as pessoas de ar podem vê-las como egocêntricas, emocionalmente distantes e inconstantes. Ironicamente, por parecerem soprar com o vento, elas são chamadas de "cabeças de vento".

Tabela 2.5. Correspondências do elemento ar

Energia: masculino, yang.	Tipo junguiano: pensativo
Signo solar: Gêmeos, Libra, Aquário	Sentido: olfato
Cores: amarelo, azul	Estágio da vida: bebê
Plantas: flores ou folhas perfumadas	Direção: Leste
Metais: cobre, estanho	Estação: Primavera
Tarô: Espadas	Hora do dia: anoitecer
Ferramenta mágica: varinha	

Arquétipo fogo – O intuitivo

O fogo é o elemento da transformação. Pessoas de fogo fazem as coisas acontecerem. Elas estão sempre em movimento e têm grandes ambições, além da energia intensa para chegar onde desejam. Quando alcançam seus objetivos, procuram uma nova montanha para escalar, porque amam estar em movimento e também porque se entediam facilmente. Elas são muito criativas ao fazer ou utilizar itens que servem para objetivos práticos.

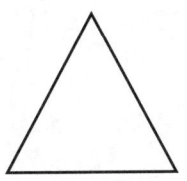

Figura 2.9. Símbolo do elemento fogo.

Pessoas de fogo tendem a ser aventureiras – assertivas, ousadas e muito independentes. Elas compreendem tudo rapidamente e são muito focadas. De vontade forte e natureza dominante, são muito expressivas e querem as coisas de seu jeito.

Pessoas de fogo são conhecidas por sua paixão e romantismo. Frequentemente impulsivas, elas se apaixonam à primeira vista. Além disso, suas características dramáticas e exageradas tornam-nas atraentes para amizades e intimidades.

Graças à sua animação, otimismo, automotivação e visão, elas tendem a se tornar líderes, artistas, vendedoras e guerreiras. Aqueles que não compreendem as pessoas de fogo podem considerá-las esquentadas, obsessivas e impulsivas.

Tabela 2.6. Correspondências do elemento fogo

Energia: masculino, yang.	Tipo junguiano: intuitivo
Signo solar: Áries, Leão, Sagitário	Sentido: visão
Cores: vermelho, laranja	Estágio da vida: adolescência
Plantas: cactos, pimentas, plantas espinhosas	Direção: Sul
	Estação: Verão
Metais: ouro, metal	Hora do dia: meio-dia
Tarô: Bastões	
Ferramenta mágica: punhal	

No próximo capítulo, começaremos a aplicar nas mãos essas informações arquetípicas dos elementos.

3

Formatos das Palmas e das Mãos

O formato geral da palma e da mão revela nosso elemento básico e a expressão de quem somos. Entretanto, antes de discutirmos o formato da palma e da mão inteira, há algumas características gerais a serem observadas. Isso inclui a textura da pele, a consistência e a flexibilidade. A cor da mão é, com frequência, incluída entre essas características, mas isso pode ser problemático. A cor da pele varia de acordo com mudanças de temperatura e condições da luz, o que torna esse aspecto pouco confiável para ser associado com outras características.[59]

Textura da pele

É melhor observar a textura da pele nas costas das mãos, porque, diferentemente das palmas, elas não são expostas a grandes desgastes nem a calos. A textura da pele provê uma referência para a sensibilidade e a capacidade de resposta emocional. Ela revela o divertimento preferido, a capacidade de esforço físico e o que pode ser denominado "grau de internalização".[60]

As texturas variam de muito fina para muito áspera, mas a maioria das pessoas se encaixa no meio disso. Até mesmo as que trabalham com as mãos podem se encaixar na categoria intermediária. Elas podem ter algumas áreas ásperas ou calosas como resultado de seu trabalho, mas isso não é necessariamente um indicativo de sua

---

59. Gettings, *Book of The Hand*, p. 28.
60. Hipskind Collins, *Hand From A to Z*, p. 35.

sensibilidade e de sua capacidade de reação.[61] Por essa razão, as costas das mãos são utilizadas para determinar a textura.

No que se refere às texturas extremas, "muito fina" significa que é como a pele de um bebê, e para a pele muito áspera, bem, pense em couro de sapatos. Há variações nas texturas médias, e Benham chama de textura "elástica" aquela que fica exatamente entre os extremos.[62] Ele descreve elástica como "não é macia, firme, não é dura".[63] Benham também notou que a pessoa com a textura da pele elástica é alguém bem equilibrado, mas que pode ter algumas características das outras categorias.

Tabela 3.1. As texturas médias da pele

TEXTURA	IDENTIFICADA POR
Fina	Falta de poros facilmente visíveis
Elástica	Maciez, com poros visíveis
Áspera	Poros muito visíveis

A textura elástica indica mãos ativas e, com certa frequência, pertencem a profissionais da saúde. Essas mãos ativas indicam mentes ativas e a habilidade de tomar atitudes. Pessoas com essa textura de pele se equilibram com as respostas socialmente aceitas para o mundo que as cerca e também levam um tempo médio de reação para situações específicas.

A mão fina demonstra sensibilidade emocional e pessoal. A pessoa reage com rapidez e profundidade em um nível emocional, o que, dependendo da situação, pode ou não ser bom. Para aqueles com a textura da pele muito fina, palavras duras podem ferir. A textura fina é emblemática de alguém que tende a ser sedentário e evita sair ao ar livre por prazer. Essa pessoa geralmente não se envolve em muitos trabalhos físicos ou em exercícios. A textura fina também possui uma influência sobre as qualidades encontradas em outros pontos da mão, podendo inclusive fortalecê-las.

Na outra ponta do espectro está a textura áspera, indicativa de pessoas que se envolvem em atividades físicas. Sua busca pessoal e sua ocupação, em geral, envolvem trabalho duro no ambiente externo. Pessoas com a textura da pele áspera podem ser menos sensíveis emocionalmente, o que lhes serve bem quando são criticadas. Por terem "casca grossa", não se incomodam com a opinião alheia.

---

61. Benham, *Laws*, p. 34.
62. Ibid., p. 36.
63. Ibid.

Consistência/resistência à pressão

A consistência da mão é julgada pela resistência à pressão e indica o nível de energia da pessoa. Para determinar a consistência, utilizamos áreas da palma que são carnudas, em que não há calos. Aperte com os dedos da outra mão, verificando quanto a pele e a carne "cedem". A tabela 3.2 oferece uma visão das quatro categorias. Assim como ocorre com a textura da pele, há dois extremos, mas a maioria de nós se encaixa no meio.

Tabela 3.2. Categorias de consistência

CONSISTÊNCIA	IDENTIFICADA POR
Flácida	Nenhuma resistência
Macia	Um pouco de resistência
Elástica	Habilidade de ceder facilmente
Dura	Cede muito pouco

A mão flácida reage com pequena ou nenhuma resistência quando a pressão é aplicada. Isso denota um nível baixo de energia, especialmente quando se trata de colocar ideias em ação. Às vezes, mesmo quando as pessoas reconhecem que sua energia baixa pode ter efeito negativo em suas vidas, elas exercem pouco ou nenhum esforço para mudar. A consistência macia não é como a flácida, mas não oferece muita resistência à pressão. Essa mão também indica energia baixa e pouca ambição; entretanto, se a pessoa quiser, a situação pode ser remediada.

A mão elástica tem vitalidade. Por ser ativa mental e fisicamente, essa pessoa é energética e se envolve com a vida. Tal consistência demonstra equilíbrio e traz boas qualidades encontradas em outras características. Benham referiu-se a essa mão como tendo "energia bem direcionada".[64]

A mão dura sugere uma abundância de energia física que precisa ser colocada em ação. Pessoas com esse tipo de mão podem ter tendência de se fechar emocionalmente para os outros, tornando-se endurecidas diante do mundo. Todavia, quando sua energia é direcionada para um bom uso, elas encontram equilíbrio social.

Ao determinar a consistência, é importante comparar as duas mãos. Se a mão dominante for elástica e a outra um pouco menos, significa que houve um aumento no nível de energia. Se o inverso ocorrer, examine a causa da diminuição.

---

64. Ibid., p. 39.

Flexibilidade das mãos

A flexibilidade da mão é determinada pelo quão facilmente (ou não) ela pode ser curvada para trás. É claro que isso deve ser feito gentilmente para evitar danos. Isso pode ser determinado ao manter a palma sobre o chão e então levantar os dedos em arco, o máximo que conseguir.

Uma mão flexível fará uma bela e delicada curva para trás, o que sugere flexibilidade da mente e do temperamento. A pessoa é versátil e tende a se adaptar bem. No que se refere à flexibilidade média, ela demonstra equilíbrio e inteligência e indica estabilidade. Também indica que a pessoa é intuitiva e emocional e mentalmente ágil.

Tabela 3.3. Categorias de flexibilidade

FLEXIBILIDADE	IDENTIFICADA POR
Muito flexível	Dedos que podem se curvar até um ângulo reto ou mais
Flexível	Dedos que criam uma delicada curva para trás
Rígida	Dedos que não se curvam para trás

O dono de uma mão rígida geralmente é alguém cauteloso que não gosta muito de mudanças. "Irredutível" é uma boa palavra para descrever esse indivíduo. Rigidez na mão dominante (mas não na outra mão) é sinal de que a necessidade por estabilidade não está sendo contemplada. No lado oposto da escala está a mão que parece ser flexível demais, o que indica uma instabilidade significativa.

Como antes, é importante comparar as duas mãos. A mão dominante, que demonstra maior flexibilidade, indica alguém que está crescendo e se tornando mais adaptável e mais versátil. O oposto pode indicar alguém que está definindo seus caminhos ou desenvolvendo um medo de mudança.

Formato de acordo com o elemento

Há vários sistemas para classificar os formatos da palma e da mão. Em 1843, o francês Casimir Stanislaus d'Arpentigny categorizou as mãos em seis tipos, que perduraram na quiromancia ocidental. Categorizá-las de acordo com os quatro elementos é o que faz mais sentido para mim. Essa classificação em quatro partes tem sido utilizada pela British Cheirological Society, por quiromantes famosos e pelo autor Fred Gettings.

Seu trabalho foi extenso e se inspirou nos antigos ensinamentos de alquimia e de astrologia, assim como nos estudos médicos e psicológicos modernos.

A classificação pelos elementos foi influenciada pela divisão quádrupla do Universo elaborada por Empédocles, um componente essencial da alquimia, da astrologia e da medicina de sua época. Carl Jung compreendeu a importância da estrutura quádrupla e a utilizou em seu trabalho. Como foi mencionado no capítulo anterior, a classificação de personalidades de Jung associava-se aos elementos.

Reduzir a quatro um número potencialmente vasto de tipos de personalidade pode parecer excessivamente simples. Entretanto, ao avaliar os formatos gerais das mãos, esse é o primeiro passo para compreender a complexa interação de nossas personalidades. Gettings percebeu que o formato da mão revela "a disposição e natureza básicas"[65] de uma pessoa. Há dez anos, fui apresentada ao sistema de quatro tipos de mãos, baseado nos elementos. Para mim, fez bastante sentido, pois muito do que somos está relacionado à nossa energia, e os elementos são energia.

Gettings e outros autores sugerem que o melhor modo de estudar a mão é fazer impressões dela no papel. Isso destaca aspectos que podem passar despercebidos. As impressões também oferecem retratos que podem ser valiosos para observarmos mudanças ao longo do tempo. Você pode querer manter um diário de impressões das mãos, no qual poderá relembrar suas interpretações e seus pensamentos. Cadernos de espiral são mais simples para isso do que cadernos mais rígidos, pois as páginas permanecem planas para as impressões.

Para fazer uma impressão, utilize tinta para gravura e certifique-se de que é solúvel em água, para que seja facilmente removida. O melhor papel a ser utilizado é aquele liso que se usa nas impressoras. Qualquer papel que tenha "dentes" ou texturas deixará características indesejáveis na impressão. Separe uma pequena pilha de papel. Você também precisará de um rolo duro para pintura (em lojas de produtos artísticos) ou de um pequeno rolo de espuma (em lojas de ferragens) para passar a tinta em suas mãos e de uma pequena bandeja de plástico para pôr o rolo.

Coloque um pouco de tinta na bandeja plástica e então deslize o rolo para a frente e para trás, por cima da tinta, até que ele fique tingido uniformemente. Passe-o cuidadosamente na palma e nos dedos de uma mão até que ela fique bem pintada. Pressione a mão pintada sobre a

---

65. Gettings, *Book of The Hand*, p. 41.

folha de papel, evitando qualquer movimento que possa causar borrões. Faça uma segunda impressão logo em seguida, sem passar mais tinta na mão. A pilha de papel será útil e ajudará a captar os detalhes da mão que está sendo carimbada. Uma única folha de papel sobre uma superfície dura fará com que algumas características se espremam enquanto você pressiona a mão.

A primeira impressão, em geral, tem tinta demais e serve para eliminar o excesso. A segunda impressão é a que você utilizará para estudo. Faça impressões das duas mãos e escreva a data em cada uma. Isso evitará confusões caso você faça mais impressões no futuro. Se mantiver um diário, faça a segunda impressão diretamente no caderno.

O uso da máquina de xerox para fazer as impressões das mãos pode parecer um bom atalho, mas, infelizmente, uma grande quantidade de detalhes se perde com esse método.

Forma básica: quadrado e retângulo

O quadrado e o retângulo são utilizados para classificar o formato da palma. A figura 3.1 oferece uma representação simples dos formatos básicos da palma e a tabela 3.4 fornece correlações.

A maioria das palmas se encaixará em uma das categorias. Os formatos de palma que parecem redondos demais para essas categorias serão contemplados no próximo capítulo. O formato da palma oferece informações sobre nossa estrutura básica. Contudo, ele nos dá somente metade do cenário. Há uma divisão natural da mão, sendo a palma uma metade e os dedos, a outra. A palma nos mostra informações sobre nosso eu físico, enquanto os dedos revelam nossos aspectos mentais.[66] Juntos, são o formato global que indica nossa estratégia básica para lidar com o mundo.

---

66. Tomio, *Chinese Hand Analysis*, p. 39.

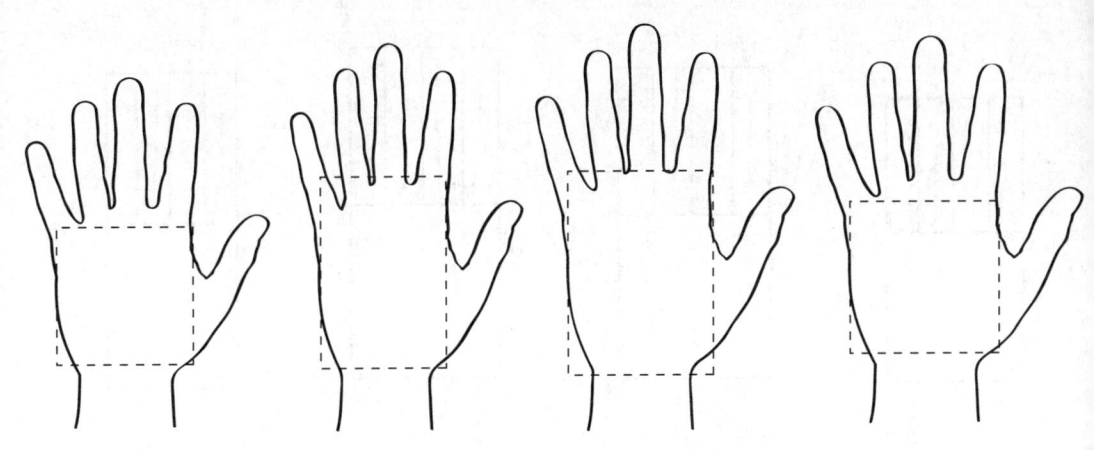

Figura 3.1. Os quatro formatos básicos da palma. Da esquerda para a direita: terra, água, fogo, ar.

Tabela 3.4. Formato da palma

ELEMENTO	FORMATO
Terra	Quadrado
Água	Retângulo
Fogo	Retângulo extenso
Ar	Quadrado extenso

A combinação do formato da palma com o dos dedos revela o elemento dominante de nossas vidas. O formato global também indica a integração dos aspectos material e intelectual, assim como o nível de atividade. Dedos mais curtos do que a palma indicam uma motivação física ou material e um nível mais alto de atividade física em comparação com a atividade intelectual. Dedos mais compridos revelam alguém motivado por conceitos.[67] A figura 3.2 ilustra o equilíbrio arquetípico entre dedos e palmas.

---

67. Ibid., p. 45.

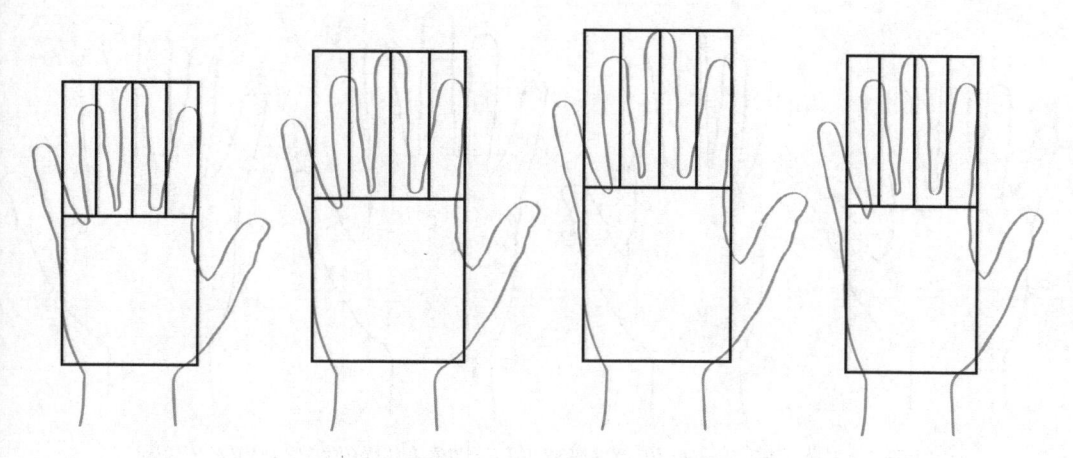

Figura 3.2. Os quatro formatos de mão elementares mostrando palmas e dedos. Da esquerda para a direita: terra, ar, fogo, água.

Os termos "mais compridos" e "mais curtos" são relativos ao comprimento da palma, mas é muito raro que os dedos sejam mais compridos do que a palma.[68] Nossos dedos não possuem o mesmo comprimento e, por isso, o dedo médio serve como referência para fazer a comparação. A maioria das mãos se encaixará na categoria do meio, na qual os comprimentos dos dedos e das mãos são praticamente iguais. Isso demonstra um equilíbrio entre nosso eu físico e nosso eu mental.

Ao trabalhar com impressões da mão, a definição da proporção entre a palma e os dedos torna-se mais clara se um compasso for utilizado para desenhar um círculo. Posicione o centro do círculo na base do dedo médio e comece a desenhar o contorno no topo desse dedo. Se os dedos forem compridos, a maior parte da palma ficará dentro do círculo. Se os dedos forem curtos, a parte inferior da palma ficará de fora do círculo.

A tabela 3.5 relaciona os elementos de acordo com as categorias de Gettings. A mão de terra possui uma palma quadrada com dedos curtos. É sólida e a pele tende a ser áspera. O polegar, em geral, não é muito flexível. A palma possui poucas linhas, mas as linhas que possui são profundas. Essa mão demonstra um forte fluxo de energia. Seus movimentos naturais são mínimos e, em geral, rítmicos.

---

68. Gettings, *Book of The Hand*, p. 39.

Tabela 3.5. Formatos arquetípicos e categorias

Terra A mão prática	Palma quadrada Dedos curtos
Ar A mão intelectual	Palma quadrada Dedos compridos
Água A mão sentimental	Palma retangular Dedos compridos
Fogo A mão intuitiva	Palma retangular Dedos compridos

A mão de ar também tem palma quadrada (larga em relação à mão como um todo) e dedos compridos. É uma mão flexível, com uma textura fina. As linhas maiores são, em geral, profundas. A energia dessa mão demonstra vitalidade. Seus movimentos naturais são suaves e curvos.

A mão de água possui uma palma retangular e dedos compridos. Em geral, tem uma aparência delicada, com dedos finos. A pele é macia e suave e a mão é flexível. A palma é enredada de numerosas linhas finas, mas as quatro linhas maiores destacam-se claramente. A energia demonstra vitalidade e os movimentos naturais dessa mão são largos e circulares.

A mão de fogo tem uma palma retangular extensa e dedos curtos. A textura da pele é elástica. Essa é uma mão flexível e ágil, com uma energia vivaz. A palma tem muitas linhas finas. Os movimentos naturais dessa mão são angulares e fortes.

Prática: adotando nosso elemento básico

Identificar o formato de nossa mão e nosso elemento básico nos ajuda a "perceber e compreender nossa verdadeira natureza".[69] O elemento básico revelado pelo formato da mão nem sempre coincide com o elemento de nosso signo solar. Quando é o mesmo, isso indica que o elemento básico é muito forte. Quando é diferente do signo solar, isso indica uma mistura de elementos. Nenhum é melhor do que o outro, isso simplesmente nos oferece mais informações por meio das quais podemos compreender nossa verdadeira natureza.

Uma vez que o elemento básico for determinado, é importante evitar correr para qualquer conclusão, fazer julgamentos ou se desesperar com alguma característica em particular. Reconheça e aceite o elemento.

---
69. Tomio, *Chinese Hand Analysis*, p. 27.

Compreender nosso temperamento e nossas necessidades subjacentes nos dá poder para um crescimento pessoal. Podemos trabalhar com nosso elemento básico para fortalecer ou modificar características.

A seguir, algumas sugestões para se aproximar dos elementos e honrá-los:

- Terra: Lá fora, em seu quintal ou em um parque, ou dentro de casa, em um vaso com plantas, pegue um pouco de terra. Note como parece sólida em suas mãos, assim como sob seus pés (se você estiver ao ar livre). A terra nutre nossa comida e, em última análise, a nós. Sinta a força e o poder de nutrição da terra.
- Ar: Ache um lugar ao ar livre onde você possa sentar-se sem ser incomodado. Respire profunda e longamente e perceba o ar, que dá sustentação à vida, enchendo seus pulmões. Foque na elevação e na queda de sua respiração por alguns minutos. Direcione sua atenção para observar os pássaros voando, ou os ramos das árvores dançando com a brisa. Observe as nuvens ou desfrute a beleza do céu limpo. Sinta a luminosidade de ser.
- Água: Honre esse elemento ao ar livre, perto de algum lugar com água, ou dentro de casa, com uma fonte. Você também pode derramar um jarro de água em uma bacia. Ouça os sons. A água é a fonte da vida – sinta sua energia fluir através de você.
- Fogo: Faça uma fogueira em uma lareira, ou simplesmente acenda uma vela. Observe a dança da chama e a luz oscilante. Note como até mesmo a menor chama emana calor. Depois de contemplar por alguns minutos, feche os olhos e sinta a energia da dança do fogo e aqueça todo o seu corpo. Sinta-se animado e forte.

Enquanto você fizer suas atividades diárias, direcione sua atenção para seu elemento básico e note como ele entra com frequência em seu mundo do dia a dia. Coloque algumas coisas no parapeito da janela, ou no canto de sua mesa, para lembrar-se de seu elemento. A tabela 3.6 oferece ideias de objetos e símbolos que podem ser usados para manter você em contato com os elementos. Desfrute seu elemento – ele é a base de quem você é.

Tabela 3.6. Lembretes elementares

	AR	TERRA	ÁGUA	FOGO
OBJETOS	Penas, sinos de vento	Plantas em vaso, pedras	Fontes, vasos com água, conchas	Velas, incenso
CORES	Branco, amarelo, azul-claro	Verde, marrom, preto	Azul-escuro, azul-turquesa, cinza	Vermelho, laranja, dourado
PEDRAS PRECIOSAS	Malaquita, azurita	Andaluzita, quartzo	Opala, pérola	Peridoto, obsidiana
RUNAS	ᚾ ᚦ ᛗ ᛖ	ᚱ ᚠ ᚢ ᛋ	ᛁ ᛉ ᛟ ᛚ ᛞ	ᛏ ᚺ ᛜ ᚹ
ÁRVORES	Macieira, álamo alpino, faia	Freixo, espinheiro negro, pinheiro	Amieiro, bétula, salgueiro	Sambucus, gorse, espinheiro alvar
ANIMAIS	Todos os pássaros, especialmente águias, pombas, falcões, corujas	Ursos, touros, cães, camundongos, cobras, veados, lobos	Todos os animais marinhos, golfinhos, tartarugas, cisnes	Leões, cavalos, touros, raposas, carneiros, lagartos
SÍMBOLOS	☽ △ ⊙	▽ ▽ ⊕ □	▽ ○ ⊖	△

4

A Palma e os Quadrantes

No capítulo 3, aprendemos como o formato da mão determina o elemento básico que influencia nosso temperamento e nossas características básicas. Agora, iremos enfocar as palmas, nas quais encontraremos informações que englobam todos os aspectos de quem somos. Como sabemos, precisamos que o corpo, a mente e o espírito estejam em equilíbrio para termos uma vida repleta e saudável. Nossas palmas podem mostrar o quanto estamos equilibrados ou desequilibrados. Por meio do trabalho energético com as mãos, podemos retomar e manter a harmonia interior.

A palma revela como os quatro elementos possuem um efeito sobre nós, assim como o quanto eles estão equilibrados em nossas vidas. Os elementos também representam uma polaridade de energias, conhecida como yin e yang. A oposição dualística de yin e yang está presente em todos os níveis de existência. O estado ideal é mantê-las em equilíbrio. De acordo com os chineses taoistas, o fogo e o ar são energias yang – a natureza ativa. A água e a terra são yin – a natureza passiva.[70]

Yin e yang podem ser descritos como uma harmoniosa dinâmica de opostos. Eles são a ligação de forças que mantêm o Universo unido, ao mesmo tempo em que mantêm as coisas separadas. Yin e yang representam um ciclo contínuo de mudanças. Equilibrar essas energias duais em nossas vidas permite-nos mudar no sentido necessário para ativar a harmonia e a felicidade. Diz-se que aprender a trazer harmonia ao cotidiano possibilita caminhar "entre os campos magnéticos do yin e yang".[71] No Zen-budismo, isso é chamado de "atravessar o portal sem portões".

Apesar do yin e yang serem frequentemente retratados como energias masculina e feminina, não devemos pressupor que somente uma delas se aplica a nós, por causa do nosso gênero. Nossa cultura adotou a ideia de que para ser macho é preciso ser ativo, dominador, agressivo e

---

70. Tomio, *Chinese Hand Analysis*, 25.
71. Govert, *Feng Shui*, p. 8.

Atitude subconsciente interna

Atitude consciente externa

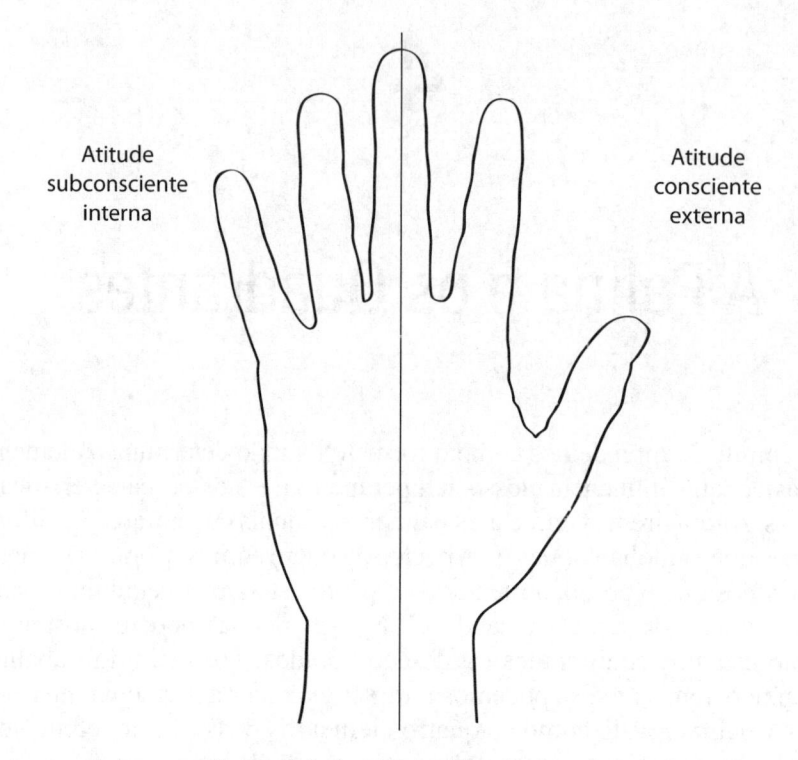

Figura 4.1. A primeira divisão da mão.

analítico e, para ser fêmea, é preciso ser receptiva, submissa, apoiadora e intuitiva. Ninguém é totalmente um ou o outro. As mulheres possuem energia yang e os homens possuem energia yin, e é importante equilibrá-las, não importando o gênero. Assim como é ilustrado pelo símbolo yin/yang, cada um contém uma parte do outro e ambos são necessários para se tornarem um todo.

As forças dinâmicas do yin e do yang podem ser acessadas por meio da energia arquetípica dos elementos. Os dois conjuntos de opostos dinâmicos que compõem os quadrantes da palma representam os quatro lados de uma pessoa. Essas energias são geralmente chamadas *inconscientes* e *conscientes*, e *ativas* e *passivas*. As energias conscientes e inconscientes também têm sido denominadas atitudes *interiores* e *exteriores* (fig. 4.1).[72] Eu prefiro os termos *consciente* e *subconsciente*, e *ativa* e *estática*.

Trabalhar com impressões das mãos em vez de usar as próprias mãos pode ser mais fácil, pois, com as linhas desenhadas no papel, os quadrantes se tornam mais discerníveis. Se você não tiver feito as impressões das mãos, pode simplesmente traçar o contorno de suas mãos no papel.

---
72. Robinson, *Discover yourself*, p. 144.

A primeira divisão da mão é longitudinal. No papel, desenhe um pequeno ponto no centro da ponta do dedo médio e outro ponto no centro do pulso. Utilize uma régua ou outro instrumento reto e conecte-os.

É fácil lembrar qual lado se refere a qual energia se pensarmos que usamos o polegar e o dedo indicador de forma consciente. Tendemos a não pensar em como usamos nossos dedos mindinhos, e eles parecem agir sozinhos, *subconscientemente*.

Essa divisão se relaciona com o tipo de energia que utilizamos. O lado consciente/exterior se associa com o contato social e com nossa persona pública. É nosso lado extrovertido, espelhando nossas ambições e nossa força de vontade. O lado subconsciente/interior se associa com nossos pensamentos pessoais e com o modo pelo qual lidamos com nós mesmos. Esse é nosso mundo interior, refletindo nossa imaginação, nossos sonhos e nossa intuição.

A segunda divisão da mão é uma latitudinal. Ela atravessa a palma, a partir da qual o polegar se junta com a mão (fig. 4.2). É fácil lembrar-se dessa divisão se pensarmos que os dedos estão conectados à parte *ativa*. Essa parte ativa ou superior da mão relaciona-se com o

Ativa: A Mente

Estática: Os Instintos

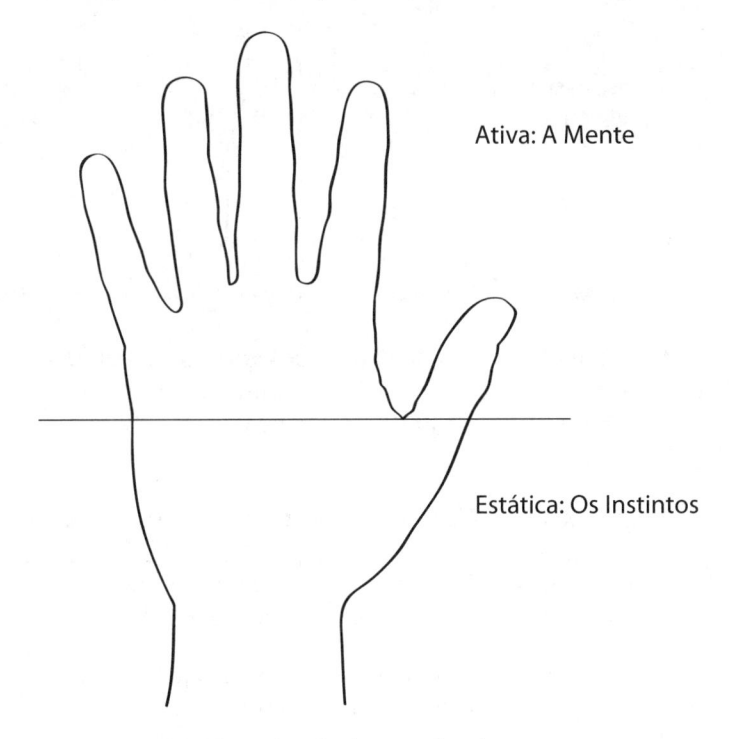

Figura 4.2. A segunda divisão da mão.

intelecto, com a tomada de decisões e com assuntos filosóficos. É a parte de nós que comanda. A parte inferior da mão relaciona-se com aspectos físicos, com instintos e desejos. É nossa parte aberta e receptiva, que permite que as coisas aconteçam. Por essa metade da mão não se mover por conta própria, eu me refiro a ela como metade *estática* da mão.

Subconsciente Ativo

Consciente Ativo

Subconsciente Estático

Consciente Estático

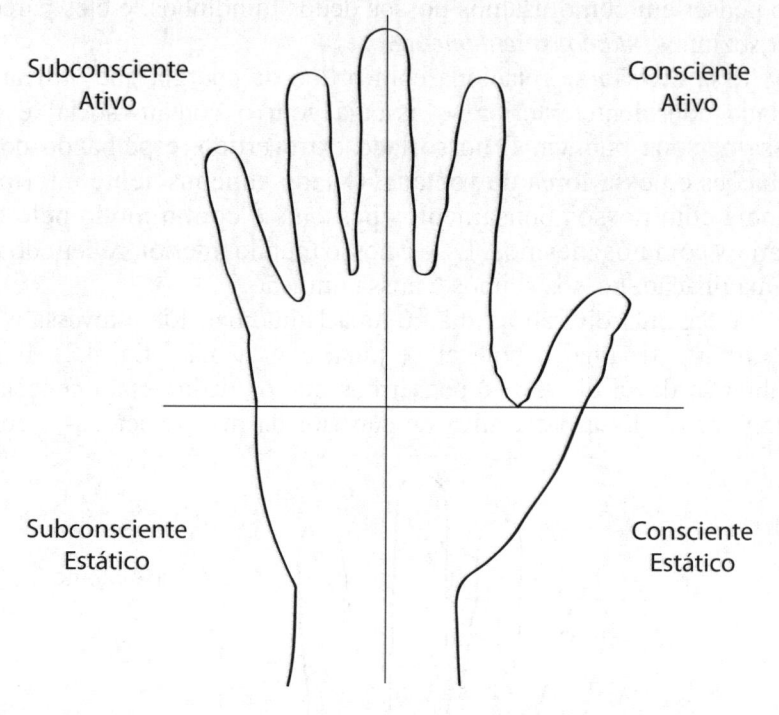

Figura 4.3. As duas divisões da mão formam o quadrante.

Combinadas, essas duas divisões formam os quadrantes (fig. 4.3). Eles envolvem somente a palma, excluindo os dedos e o polegar. Os quadrantes revelam o equilíbrio e a proporção das naturezas mental e física que nos guiam.

Tabela 4.1. Características dos quadrantes

Subconsciente Ativo: Educação, conhecimento, arte, expressão não verbal.	Consciente Ativo: Objetivos, aspirações, lado público, expressão ativa.
Subconsciente Estático: Subconsciente criativo, imaginação, intuição, sonhos, expressão simbólica.	Consciente Estático: Vigor físico, sexualidade, expressão por meio da ação exterior.

Com a palma dividida em quatro partes, um elemento se aplica a cada uma. Os elementos yang, do fogo e do ar, pertencem à parte superior ativa da mão; os elementos yin, da terra e da água, à parte inferior estática. O fogo é associado ao quadrante consciente/ativo, o ar ao subconsciente/ativo, a terra ao consciente/estático e a água ao subconsciente/estático (fig. 4.4).

O tamanho de cada quadrante revela a ordem dos elementos, que indica forças e fraquezas. O tamanho é determinado pela área da superfície em relação aos outros quadrantes. Os quadrantes maiores demonstrarão quais são os traços ou aspectos da vida que predominam. Os quadrantes menores demonstrarão os traços com os quais podemos nos sentir desconfortáveis ou áreas da vida que são incertas.

O significado dos elementos dos quadrantes

O Elemento Um, o quadrante maior, tem relação com o temperamento básico. Ele envolve os modos conscientes por meio dos quais lidamos com o mundo e inclui nossa principal tática para enfrentar a vida. Também revela como as outras pessoas nos veem.

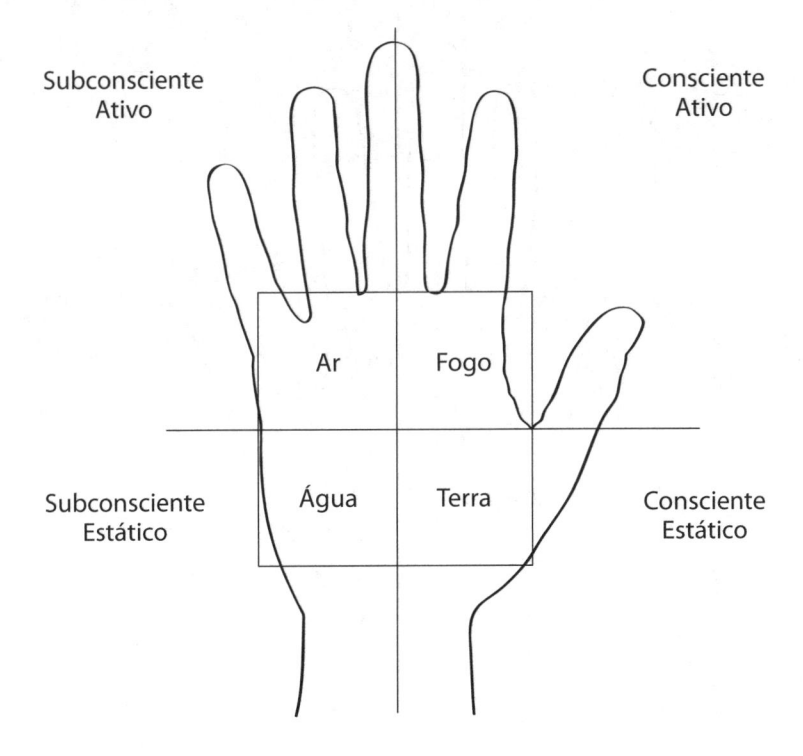

Figura 4.4. Os quadrantes com seus elementos associados.

O Elemento Dois, segundo maior do quadrante, contém nossos desafios interiores. Ele representa o que nos deixa mais vulneráveis.

O Elemento Três, o terceiro maior quadrante, tem relação com nosso lado público, o que nós percebemos ter. Isso nem sempre é o modo pelo qual somos vistos pelos outros, mas sim como gostaríamos de ser vistos.

O Elemento Quatro, o menor quadrante, representa nosso potencial mais alto. Esse é o núcleo da verdade em nosso âmago. Em geral, é a raiz de nossos problemas, assim como o caminho para alcançarmos nosso potencial pleno.

Na figura 4.5, a ordem dos elementos é: ar, água, fogo e terra. Isso pode ser interpretado como sendo a mão de alguém que é inteligente e imaginativo, um pouco sensível demais, cheio de energia criativa e que tem uma carreira de sucesso. O problema dessa interpretação é que trata somente de aspectos positivos. Já que somos humanos e temos nossas fraquezas, é importante considerar também as características não tão perfeitas.

Essa mesma ordem de elementos pode ser lida da seguinte forma: basicamente, é enganador, não gosta de autoridade, briguento e procura justiça em benefício próprio. É claro que esse é o extremo oposto.

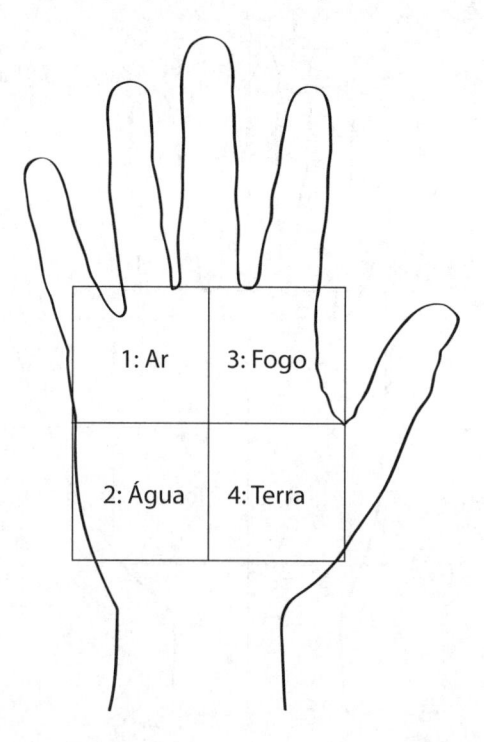

Figura 4.5. Os elementos e sua ordem de predominância nessa mão.

Uma interpretação mais equilibrada pode ser lida desta forma: alguém inteligente e, às vezes, um pouco inconstante, desafiado pela sensibilidade exagerada, que interfere no modo pelo qual ele ou ela gostaria de ser visto pelos outros. Em vez de ser visto como alguém com muita energia criativa, essa sensibilidade exagerada pode passar a impressão de ser alguém que se opõe a qualquer tipo de crítica, mesmo quando é construtiva. Tentar ter uma carreira de sucesso pode ser uma aspiração, contudo, isso pode ser um problema quando combinado com a sensibilidade exagerada. Resolver essas questões e ser verdadeiro consigo mesmo pode aproximá-lo do objetivo de ser bem-sucedido.

Tabela 4.2. A ordem dos elementos e suas interpretações

	Temperamento básico Como você é visto	Desafios interiores Vulnerabilidades	Imagem pública Como você quer ser visto	A mais alta aspiração Raiz e Caminho
Fogo	Energético, focado, entusiasmado. Impaciente, obsessivo, impulsivo.	Medo de restrições, é dramático em excesso.	Independente, assertivo, ousado, criativo. Dominador, não gosta de ser criticado, briguento.	Posição de liderança, visionário.
Ar	Inteligente, estudioso, mente aberta. Enganador, inconstante, tolo.	Dificuldade com autoridades, equilibrar o verdadeiro objetivo com o sucesso mundano.	Bem informado, justo, racional. Exigente, exibido.	Fama, atividades acadêmicas.
Água	Sensível, intuitivo, imaginativo, empático. Depressivo, vingativo, age em vez de lidar com os problemas.	Sensível demais, emocional em excesso, autoconsciente, recluso.	Carinhoso, apoiador, compassivo. Autocentrado, mal-humorado, dissimulado.	Expressão livre, trabalhar pelo bem dos outros.
Terra	Confiável, seguro, tradicional. Materialista, cauteloso em excesso.	Descuido, desperdício, coisas impraticáveis.	Adaptável, forte, estável. Irredutível, teimoso.	Sucesso na área que escolher, justiça.

Como podemos ver, a última interpretação é mais equilibrada e profunda. Aqui, é essencial ser completamente honesto consigo. Podemos considerar nossas nuances melhor do que qualquer um. Contudo, olhar para as duas partes do que somos – a boa e a não tão boa – pode ser um desafio e, talvez, algo doloroso. Encarar esse trabalho com honestidade também requer que tenhamos compaixão para com nós mesmos durante as análises.

Quando os quadrantes possuem tamanhos tão próximos que se torna difícil discernir sua ordem, significa que os elementos estão em relativo equilíbrio. Direcione-se pelo que você, em primeiro momento, percebeu como ordem, pois as primeiras impressões são, em geral, corretas. Não analise nem escolha a ordem, deixe-se guiar pela intuição.

Outro fator que deve ser levado em conta é se há cantos cortados no quadrante. O quadrado e o retângulo são utilizados para classificar o formato da palma, porém isso pode não se aplicar a todos com facilidade. Apesar de raras, mãos redondas cortam os cantos de todos os elementos. Além disso, o formato triangular (também chamado de espatulado) corta dois cantos, ou a metade ativa da mão, ou a passiva.

Cortar os cantos diminui a força dos elementos nos quadrantes afetados. Considere isso principalmente quando características pouco desejáveis entrarem em ação. Por exemplo, no caso de a terra ser o quadrante maior, a pessoa é, em essência, confiável, mas pode haver alguma questão com segurança. Esses cantos que foram cortados não devem assustar, são somente sinais para que a situação seja examinada com mais cuidado.

Nos quadrantes, também podemos ver o cruzamento alquímico dos elementos onde os opostos são antagônicos. Esse antagonismo pode entrar em ação em relação aos pares de elementos um e três, e dois e quatro. Por exemplo, se o ar é o primeiro elemento e a terra é o terceiro, a mente aberta do ar pode estar em forte oposição com a característica da terra de definir seus próprios caminhos. Temos outro exemplo quando a água é o segundo elemento, com tendências reclusas como um desafio em potencial, e o fogo é o quarto elemento, com aspirações de liderança. Vejo essas características como interativas, em vez de forças e fraquezas excludentes. Essa interação é uma dimensão importante a ser analisada.

Também é importante estudar as duas mãos, pois a ordem do quadrante, em geral, é diferente. A mão dominante demonstra nossas táticas para lidar com o mundo. A ordem do quadrante da outra mão demonstra o padrão que tínhamos na infância para lidar com ele. A diferença nos mostra as mudanças de atitude que desenvolvemos ao longo do tempo e que resultaram em nosso mecanismo atual de relação com o mundo.

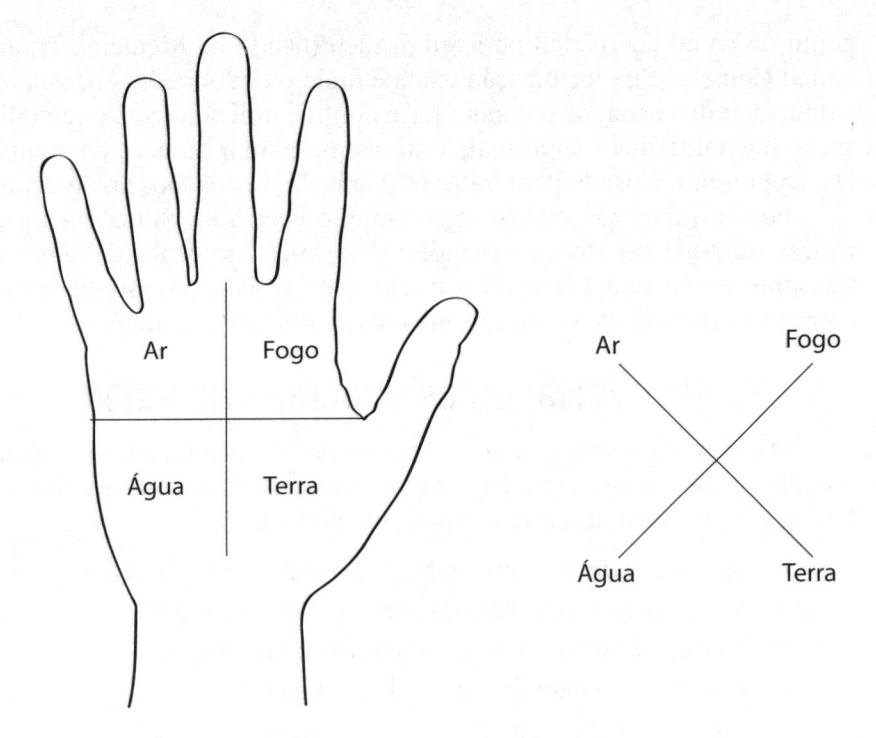

Figura 4.6. O cruzamento alquímico dos elementos no quadrante.

O centro da palma

Essa área da palma é comumente chamada de Planície de Marte. Se o centro é mais alto do que a superfície da palma, isso é interpretado como um aumento das qualidades "marcianas".[73] Um centro côncavo significa que essas características não estão presentes. Contudo, a Planície de Marte também é chamada de Monte da Terra.[74] Usaremos o elemento terra associado a essa área, mas não a consideraremos um monte. Isso será detalhado mais à frente.

Apesar de ser a área da mão que fisicamente é mais fina, ela possui muita energia circulando. Aqui é onde os quadrantes se cruzam, unindo os quatro elementos. Assim, pode ser também considerado o local do quinto elemento, o espírito.

O centro da palma é chamado de olho da palma e marca o ponto de reflexo do chacra raiz, assim como um dos portais energéticos utilizados no *Chi kung*.[75] Nessa área, também está o Laogong ou P8, o oitavo

---

73. Phanos, Elements of Hand-Reading, p. 75.
74. Hirschi, *Mudras*, p. 38.
75. Saint-Germain, *Karmic Palmistry*, p. 89.

ponto do canal energético pericárdio, identificado na Medicina Tradicional Chinesa. Sua localização exata é onde o dedo médio encosta na palma quando cerramos o punho. Esse ponto é utilizado para a revitalização mental, física e espiritual, assim como para a limpeza da mente. Na acupuntura, é usado para tratar problemas relacionados ao coração.

Por fim, mas não menos importante, o centro da palma é a localização do poderoso chacra secundário, por meio do qual recebemos e transmitimos energia. Como o P8, os chacras da mão estão associados ao coração. Fortalecer essa conexão aumenta a compaixão e afetividade.[76]

Prática: Ativando os chacras das mãos

O centro da palma é uma área muito poderosa que usaremos para trabalhar diretamente com os elementos e colocá-los em equilíbrio. Esse é um processo de quatro etapas, que incluem:

- *Ativação* para movimentar a energia do chacra da mão.
- *Revitalização* por meio da pressão e da massagem.
- *Meditação* com cristais, para trazer equilíbrio.
- *Desativação* para fechar os chacras da mão.

Ativação

Há várias formas de ativar os chacras da mão. Apresentamos no capítulo 1 a técnica de utilizar um cristal. O método mais simples é esfregar uma palma na outra para criar calor, o que abrirá os chacras. Depois de esfregar as palmas de forma vigorosa, separe suas mãos e então as aproxime (mas sem encostar uma na outra) e, mais uma vez, afaste-as. Faça isso até que possa sentir uma bola de energia entre suas mãos. Tente fazer isso com os olhos fechados e abra quando sentir a energia. Você pode se surpreender com o tamanho que a bola de energia pode alcançar. Sentir essa energia pode requerer um pouco de prática, mas seja persistente.

Outro método para abrir os chacras das mãos é manter os dois braços esticados à sua frente, com os dedos também esticados. Uma palma deve ficar virada para o chão e a outra, para o teto. Feche os punhos e então abra e feche os punhos novamente, com rapidez, pelo máximo de tempo que puder. Volte a deixar as duas mãos abertas, inverta as palmas

---

76. Selby, *Chacra Energy Plan*, p. 76.

Círculo grande: Chacra da mão

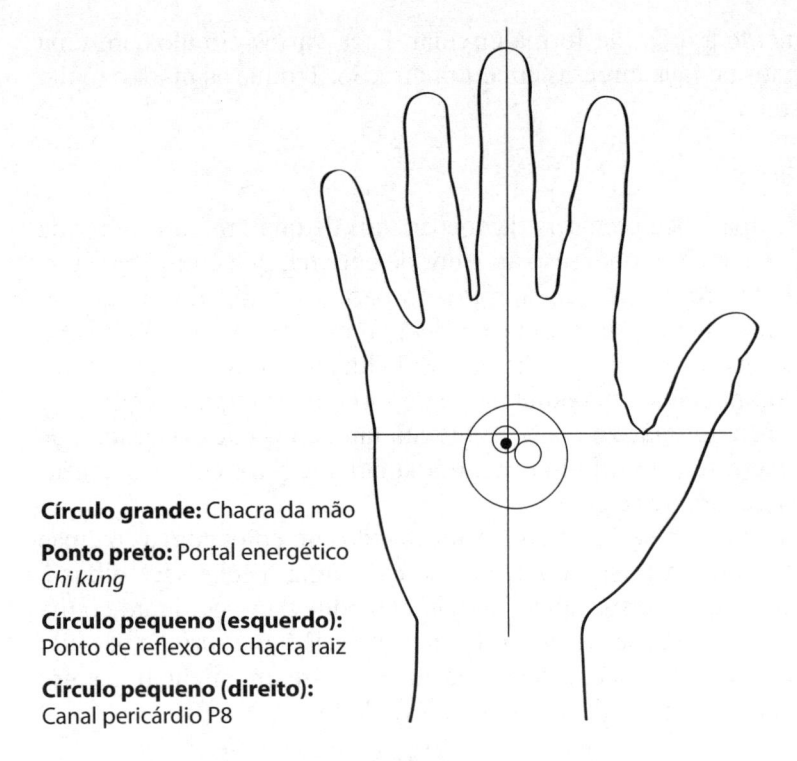

Ponto preto: Portal energético *Chi kung*

Círculo pequeno (esquerdo): Ponto de reflexo do chacra raiz

Círculo pequeno (direito): Canal pericárdio P8

Figura 4.7. Pontos de energia no centro da palma.

e repita o processo. Depois de abrir e fechar as mãos, deixe-as na posição de oração, em frente ao peito, com as palmas um pouco afastadas.[77]

Um terceiro método para ativar os chacras é sentar-se com suas mãos no colo, com as palmas viradas para cima. Feche seus olhos e visualize espirais nas duas palmas. À medida que eles se tornam mais claros em sua mente, veja-os rodarem até que você possa sentir um fluxo estável de energia espiralando através de suas palmas. Suas mãos podem ficar quentes e formigar.

Revitalização

Essa etapa utiliza o ponto de energia Laogong/P8. Cerre o punho de sua mão dominante e veja onde o dedo médio toca a palma, entre os ossos que levam aos dedos indicador e médio. Utilizando o dedo médio da mão oposta, aplique uma pressão leve por cinco a dez segundos, enquanto respira profunda e lentamente. Alivie a pressão e, então, massageie

---

77. Judith, *Wheels of Life*, p. 241.

delicadamente a área, de forma circular. Faça vários círculos em uma direção, pause e faça círculos em outra direção. Troque as mãos e repita o processo.

Meditação

Para essa etapa, você precisará de dois cristais de quartzo, um para cada mão. O quartzo é um poderoso ativador de energia, que cura e transforma. O quartzo rosa é o mais apropriado para ser utilizado, porque se associa (por sua cor e suas propriedades) ao chacra do coração. Como já foi mencionado, os chacras da mão estão ligados com o chacra do coração. A compaixão é um componente importante de cura, de equilíbrio e de mudança. O quartzo claro ou branco também pode ser usado. Os cristais devem ter, no mínimo, largura suficiente para cobrir o cruzamento dos quadrantes e do P8.

Mais uma vez, sente-se com as duas mãos no colo, com as palmas para cima, com um cristal no centro de cada uma. Feche seus olhos e visualize a energia de suas mãos movimentando-se em conjunto com a energia do cristal. Fique atento a qualquer sensação que surgir e permita que as imagens e sensações desvaneçam. Sente-se em silêncio, respire algumas vezes e, então, deixe os cristais de lado.

Desativação

Para desativar os chacras das mãos, visualize-os como flores. Os chacras são tradicionalmente retratados como flores de lótus. Feche lentamente os dedos em sua palma. Como pétalas se fechando e mantendo a fragrância da flor, os chacras pararão de girar e o corpo reterá a energia.

Tabela 4.3. Elementos, cristais e pedras preciosas

Fogo	Ar	Terra	Água
Peridoto	Malaquita	Andaluzita	Opala
Obsidiana	Azurita	Turmalina	Pérola
Heliotrópio	Fluorita	Ágata	Coral
Granada	Aventurina	Hematita	Aquamarine
Ônix	Jaspe	Azeviche	Pedra da lua
Pedra do sol	Titanite	Calcita	Lápis-lazúli
Espinela	Âmbar		

Para trabalhar com um elemento específico, faça o mesmo exercício, mas use um cristal que se associe ao elemento. Por exemplo, se o elemento água é o quadrante menor e você sente que deve estimular mais qualidades de água em sua vida, escolha uma opala, uma pérola ou outro cristal ou pedra preciosa relacionada à água.

Ao trabalhar com a energia da mão, é mais efetivo realizar a prática com frequência do que dedicar muito tempo a cada sessão. Poucos minutos todos os dias podem ajudar a deixar sua energia elementar em equilíbrio. A rapidez com que isso irá ocorrer depende de suas intenções, então é importante ser realista. Quando a mudança começar a se manifestar, poderá prosseguir rapidamente.

À medida que você aprende sobre as características da mão e sobre como se relacionam aos elementos, você poderá querer voltar a esse exercício.

5

Introdução aos Montes

Com os montes da mão, começamos a nos direcionar para áreas mais profundas e complexas de nossas personalidades. Os montes são identificados como partes mais altas da mão, localizados abaixo dos dedos e ao redor da palma. Enquanto o formato da mão e dos quadrantes revela características básicas, os montes oferecem mais detalhes sobre essas características. Além disso, eles nos mostram a interação entre os traços de nosso caráter, assim como o modo pelo qual lidamos com o mundo. Os montes são a expressão da conexão mão/cérebro e representam nossos talentos potenciais.

Os montes mais proeminentes contêm características que se relacionam com os talentos que desenvolvemos. Os montes que parecem planos ou mais baixos do que o normal indicam traços importantes que podem estar faltando. Em geral, os montes formam a estrutura dos atributos que são expressos de forma mais completa pelos dedos.[78]

Por terem raízes em comum com a astrologia, os montes da Quiromancia receberam nomes que derivam da mitologia.[79] Os povos antigos da Grécia e de Roma nomearam os sete "planetas" que eram visíveis – corpos celestiais, incluindo o Sol e a Lua – com os nomes de sete divindades. Eles acreditavam que as divindades, assim como os planetas que elas controlavam, dominavam a Terra e as ações humanas. Daí veio a ideia de sete tipos de personalidade, que foram posteriormente associados aos montes da palma. Cada um desses tipos foi caracterizado por "certas qualidades fortes" e "cada um foi criado para uma esfera específica da vida".[80]

Os nomes dos montes e dos planetas se originaram dos deuses e deusas greco-romanos, que personificavam qualidades específicas.

---

78. Tomio, *Chinese hand analysis*, p. 59.
79. Hipskind Collins, *Hand from A to Z*, p. 93.
80. Benham, *Laws*, p. 2.

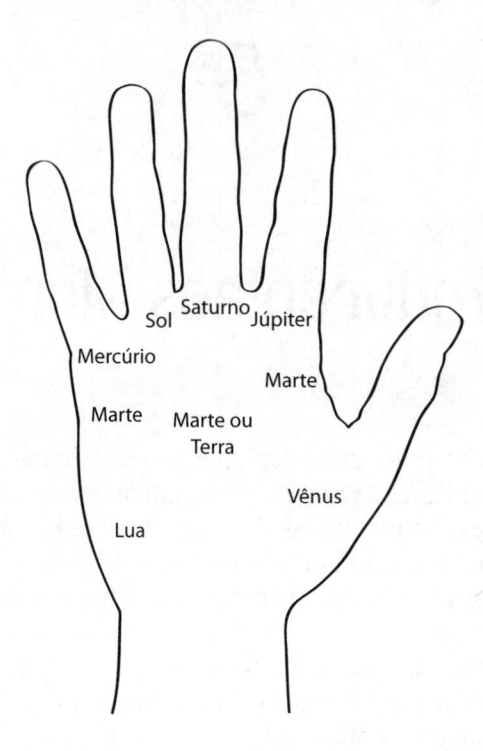

Figura 5.1. Os montes da mão e suas relações com os "planetas".

As personalidades das divindades eram uma "espécie de taquigrafia" para descrever traços do caráter.[81] Mesmo hoje, descrevemos as pessoas como mercuriais, saturninas ou joviais. Além disso, outras culturas possuíam divindades cujas características eram semelhantes àquelas dos panteões greco-romanos – assim, o conjunto de traços de personalidade permaneceu válido para muitas pessoas. Consulte a tabela 5.1 para a lista de alguns desses deuses e deusas. Ao nomear e identificar as divindades dessa maneira, as pessoas descobriram um jeito de se relacionar às forças elementares que atuam no Universo, assim como às que atuam dentro de si mesmas.

Apesar de grande parte de nossas características essenciais estarem descritas em nossas mãos, elas são escritas na carne, não na pedra. Como consequência, podemos propiciar mudanças ao reconhecermos e trabalharmos com a energia elementar que possuímos. Como Benham notou há cerca de um século, se a pessoa "quer muito mudar o curso de sua vida, se está completamente consciente do que deseja alcançar e

---
81. Tomio, *Chinese Hand Analysis*, p. 55.

tem determinação suficiente, ela poderá modificar as qualidades de sua personalidade em um grau elevado".[82]

Tabela 5.1. Comparativo de deuses e deusas

	Romanos	Gregos	Egípcios	Celtas	Nórdicos	Hindus/Védicos
Deus/deusa supremo(a): autoridade, liderança	Júpiter	Zeus	Amon-Rá	Danu	Odin	Brahma
Deus da guerra, da luta e da força	Marte	Ares	Anhur	Taranis	Tyr	Indra
Deus do Sol: esperança, ordem e alegria	Sol	Hélio	Rá	Belenus	Baldor	Surya
Deusa/deus da beleza e do amor	Vênus	Afrodite	Hathor	Angus	Freyja	Lakshmi
Deusa/deus da Lua, da profecia	Luna	Selene	Ísis	Ceridwen	Nanna	Chandra
Deus da agricultura, da morte e dos ciclos	Saturno	Cronos	Osíris	Amathaon	Freyr	Pushan
Deus/deusa da comunicação, da linguagem, da sabedoria	Mercúrio	Hermes	Thoth	Ogma	Bragi	Sarasvati

Ao longo do tempo, podemos realmente ver as mudanças em nossas mãos, que refletem mudanças maiores em nossas vidas. Por isso é

---

82. Benham, *Laws*, p. 6.

importante datar as impressões das mãos, fazendo com que elas ofereçam uma progressão para estudo. Ou, como já foi mencionado, manter um diário de impressões das mãos.

Ao observar os montes, precisamos determinar um monte comum ou padrão para nossas mãos. Em seguida, verificamos qual monte é um pouco mais alto do que os outros. O monte mais proeminente associa-se com nossas características mais fortes. Apesar de buscarmos equilíbrio, é natural possuirmos forças e fraquezas. O truque é evitar extremos. Há três categorias que devem ser levadas em conta quando estudamos os montes:

1. *Bem desenvolvido ou proeminente:* um pouco mais alto do que foi determinado como padrão para aquela mão e firme ao ser tocado.
2. *Muito proeminente:* maior e/ou mais inchado do que os outros montes. Isso indica características excessivas.
3. *Plano ou côncavo:* traços positivos que não estão presentes ou não estão desenvolvidos.

Lembre-se de que é importante considerar os montes coletivamente, ao invés de isolá-los. Essa ideia será retomada no próximo capítulo.

O Monte de Júpiter

Esse monte está localizado abaixo do dedo indicador. Suas fronteiras são a base do dedo, a lateral da mão e uma linha imaginária que desce do espaço entre os dedos indicador e médio, e a linha da Cabeça (que será discutida no capítulo 14). As principais forças que atuam nesse monte são a ambição, a liderança, o orgulho, a religião, a honra, os princípios, a confiança e a justiça. Quando o Monte de Júpiter é bem desenvolvido, encontramos um líder responsável, confiável, autoconfiante e assertivo. Um senso de justiça e uma necessidade de manter os princípios guiam o desejo de comandar. Pessoas com um Monte de Júpiter bem desenvolvido contam com suas próprias habilidades para fazer o que deve ser feito e gostam de estar no controle de suas vidas. Elas têm o coração quente, são gentis e generosas.

Quando o Monte de Júpiter é muito proeminente, o orgulho e a ambição podem tornar-se dominantes e até tirânicos. A pessoa pode ser entusiasmada demais, extravagante ou egoísta, dependendo do grau de proeminência do monte. Um monte plano pode indicar falta de confiança e, talvez, complexo de inferioridade. Pode haver baixa autoestima, assim como períodos prolongados de letargia.

O Monte de Saturno

Esse monte localiza-se na base do dedo médio. Suas fronteiras são duas linhas imaginárias que descem de um ponto entre os dedos indicador e médio, e de um ponto entre os dedos médio e anular. Sua fronteira inferior é a linha do Coração (veja o capítulo 14). As principais forças que atuam no Monte de Saturno são a prudência, a seriedade no trabalho, a sabedoria, a melancolia e a introspecção. Quando esse monte é bem desenvolvido, revela uma pessoa sensível, estudiosa e observadora. Sua visão única das coisas possibilita *insights* e luz própria. Essa pessoa gosta da solidão, evita ser o centro das atenções e, em geral, leva a vida bem a sério.

Pessoas que têm um Monte de Saturno muito proeminente podem parecer reservadas e melancólicas, às vezes a ponto de serem mórbidas. Seu visual sombrio pode fazer com que os outros pensem que elas não gostam de pessoas. Um monte plano indica alguém que pode ser apático, não gosta de estudar e precisa de estabilidade.

O Monte de Saturno é um ponto principal porque divide as metades consciente e subconsciente da mão. Ele mostra nossas atitudes no trabalho e nos ambientes sociais.

O Monte de Apolo

Também conhecido como Monte do Sol, o correspondente planetário desse monte é, claro, o Sol e suas divindades místicas, o deus do Sol Apolo. Está localizado na base do dedo anular. Suas outras fronteiras são a linha do Coração e duas linhas imaginárias que descem de um ponto entre os dedos médio e anular e de um ponto entre o dedo anular e o mindinho. As forças principais desse monte são a cordialidade, a satisfação e a alegria. Uma personalidade solar, amante da arte e apreciadora da beleza são marcas de um Monte de Apolo bem desenvolvido. Essa pessoa é versátil e leal e, em geral, brilha em sociedade.

Quando o Monte de Apolo é proeminente demais, as pessoas tendem a ser cheias de si, exibidas e buscam atenção constantemente. Elas são fãs de especulações, de apostas e são dadas a farras. Pessoas com um monte plano, em geral, não se consideram criativas e têm pouco interesse por atividades culturais. Além disso, tendem a ser tímidas e preferem ficar nos bastidores.

O Monte de Mercúrio

Esse monte localiza-se na base do dedo mindinho. Suas fronteiras são a parte lateral da mão (subconsciente) e uma linha imaginária que desce de um ponto entre os dedos anular e mindinho até a linha do Coração. As principais forças que atuam nesse monte são as habilidades mentais, a expressão e o tato. Quando o Monte de Mercúrio é bem desenvolvido, a pessoa tem o raciocínio rápido, é ativa e boa comunicadora. Essas pessoas tendem a ser intuitivas e engraçadas e podem ser professoras excepcionais. Elas adoram viajar, têm muitas ideias e possuem uma aptidão inata para negócios e para a ciência.

Um monte muito proeminente indica perspicácia nos negócios e o risco de tornar as ambições um ponto crucial na vida. Com o dom da conversa, essas pessoas são capazes de levar os outros no papo. Um monte plano sugere certa ingenuidade e a tendência a acreditar em tudo que ouve.

O Monte de Marte

Marte possui dois montes, ambos localizados na metade ativa da mão. Um está do lado consciente e o outro do lado subconsciente. O que está localizado na parte externa da mão, abaixo do Monte de Mercúrio, é chamado de Monte de Marte Superior. Suas fronteiras são a parte da mão entre as linhas do Coração e da Cabeça. Uma fronteira interior pode ser desenhada se a linha de Mercúrio estiver presente.

O Monte de Marte Inferior está no lado oposto da mão, abaixo do Monte de Júpiter e acima da linha da Cabeça. Sua fronteira inferior é uma linha imaginária que sai da base do polegar até a linha da Vida (veja o capítulo 14). Os nomes desses dois montes indicam sua localização em relação à linha da Cabeça: um está acima (Marte Superior) e o outro está abaixo (Marte Inferior).

As forças principais do Monte de Marte Superior são a coragem, a presença de espírito e a coragem física. Se for bem desenvolvido, a pessoa será consistente e não se assustará facilmente. Se for proeminente demais, um temperamento agressivo poderá levar a muitas brigas. Se o monte for plano, a pessoa poderá ser tímida e arredia.

As principais forças que atuam no Monte de Marte Inferior são a coragem moral, a tenacidade e a firmeza. Se for bem desenvolvido, a pessoa terá iniciativa e bravura. Se for muito proeminente, a pessoa poderá ser arrogante e controladora. Um monte plano indica uma pessoa assustadiça e reclusa.

Por serem montes gêmeos, devem ser comparados entre si. Se o Monte Superior for mais alto, a pessoa não inspira os outros a agir. Um Monte Inferior mais alto indica dificuldade em completar projetos. Se os dois montes são iguais, a pessoa tem potencial para inspirar os outros, assim como para levar projetos adiante.

Entre Martes

A área mais baixa entre os dois Montes de Marte é frequentemente chamada de Planície de Marte. Entretanto, como foi observado no último capítulo, essa área é designada de muitas outras formas e se relaciona com a Terra. Por ser uma área onde convergem as energias de todos os montes, gosto de considerá-la nosso centro estrutural, já que está relacionada energeticamente com o chacra raiz.[83] Além disso, no plano da astronomia antiga, pensava-se que a Terra era o centro do sistema solar.

De ativo a estático

Os quatro primeiros montes (Júpiter, Saturno, Apolo e Mercúrio) estão na área superior da metade ativa da mão. Relacionam-se com interesses e talentos potenciais e revelam como lidamos com nossos negócios diários. Abaixo deles, os Montes de Marte indicam força de espírito e protegem nosso centro estrutural. Mais abaixo, na metade estática da mão, estão os montes de Vênus e de Luna (a Lua).

O Monte de Vênus

O Monte de Vênus está localizado na base do polegar, entre a linha da vida e o primeiro Bracelete de Rascette (a dobra do pulso). As principais forças que atuam aqui são a afeição, a paixão (não somente sexual), a sensualidade, a compaixão e a pureza espiritual. Esse monte também se relaciona com a vitalidade e indica o tipo de energia na qual mais nos baseamos: física, emocional ou mental.

Quando esse monte é bem desenvolvido, a pessoa possui um encanto físico, ama a beleza, é acolhedora e amigável. Ele ou ela se baseia na energia do nível físico. Se o monte for muito proeminente, haverá uma tendência a ser narcisista, assim como ardente demais. Nesse caso, a pessoa se baseará na energia do nível emocional. Um monte plano pode indicar uma tendência ao amor platônico e um nível baixo de vitalidade. Às vezes, tendendo a ser frias e ascéticas, essas pessoas precisam sair de dentro da própria mente (baseando-se demais na energia do nível mental) e ir para o corpo.

---

83. Saint-Germain, *Karmic Palmistry*, p. 89.

O Monte de Luna

Esse monte localiza-se na parte externa da mão, abaixo do Monte Superior de Marte. Fica entre a linha da Cabeça e o primeiro Bracelete do pulso. Sua fronteira interna é marcada pela linha de Mercúrio, se ela estiver presente. As forças principais associadas ao Monte de Luna são a memória, os sonhos, a imaginação, a criatividade e a espiritualidade. Quando o Monte de Luna é bem desenvolvido, a pessoa é imaginativa, poética e atenta às necessidades alheias. Ele ou ela tende a ser muito criativo, com uma inspiração que vem de seu âmago.

Se esse monte for muito proeminente, a pessoa poderá ser emocional demais, vivendo em um mundo egocêntrico de sonhos. Quando a imaginação perde o controle, pode se tornar obsessão e perda de contato com a realidade (loucura). Um monte plano pode indicar falta de imaginação e uma necessidade de ter rotinas fixas.

O Monte de Luna também se associa à espiritualidade, à intuição, à visão e ao interesse pelo misticismo e pelo oculto.

Os Montes Menores

Os montes apresentados até agora são os montes maiores, que receberam os nomes dos primeiros planetas a ser conhecidos. Em tempos mais recentes, alguns montes foram redefinidos para que explicassem melhor algumas características e acomodassem os planetas que foram descobertos depois dos sete planetas originais. Uma área entre os montes de Mercúrio e o Superior de Marte foi nomeada como Urano, mas seu significado e uso são esotéricos. Netuno e Plutão são mencionados aqui para completar a série de planetas, mas não serão considerados individualmente para objetivos energéticos.

Netuno localiza-se logo acima do pulso, entre os montes de Vênus e de Luna. Como Saturno, fica na linha divisória entre o consciente e o subconsciente e indica uma mistura dessas partes em nossa personalidade. As forças que atuam aqui são a vitalidade, a paixão, a imaginação e a resistência. Se Netuno for bem desenvolvido, ligará Vênus e Luna e indicará alguém que pode ser cativante. Um Monte de Netuno muito proeminente é sinal de enganação – por parte dos outros ou de si mesmo. É mais comum encontrar um monte plano, que nada tem de prejudicial, nem nenhuma característica deficiente associada a ele.

Em algumas práticas, o Monte de Luna é dividido em três partes. A parte de cima é Urano, o meio é a Luna e a parte de baixo é Plutão.

Se esse conceito for empregado, o Monte de Netuno ficará entre Vênus e Plutão. Plutão é a parte de Luna que indica expressão criativa interior.

Os montes e os elementos

Para trabalhar energicamente com os montes, precisamos identificar os elementos com os quais eles estão associados. A tabela 5.2 oferece essa informação, junto com uma visão global dos atributos-chave de cada monte e de suas qualidades principais.

Quando substituímos os elementos pelos nomes dos montes, um novo cenário emerge e podemos começar a fazer relações com a energia atuante.

A mão retratada na figura 5.2 representa um mapa de nossa jornada pela vida. Isso pode ser visto como uma jornada espiritual simbólica: nós viajamos por planícies e rios (palma inferior), por fogos desafiadores (centro da palma), subimos montanhas (palma superior) – uma vida equilibrada, onde todos os quatro elementos estão presentes.

Tabela 5.2. Os montes e os elementos

Monte	Elemento	Atributo-chave	Qualidades principais
Júpiter	Água	Independência	Liderança, orgulho, honra, princípios, confiança, justiça.
Saturno	Terra	Continuidade	Prudência, seriedade no trabalho, sabedoria, sobriedade, introspecção.
Apolo	Fogo	Versatilidade	Cordialidade, satisfação, alegria.
Mercúrio	Ar	Comunicação	Habilidades mentais, expressão, tato.
Marte Superior e Inferior	Fogo	Coragem	Presença de espírito, tenacidade, coragem, firmeza.
Vênus	Terra	Vitalidade	Afeição, paixão, compaixão, sensualidade, vitalidade, pureza espiritual.
Luna	Água	Consciência	Memórias, sonhos, imaginação, criatividade, espiritualidade.

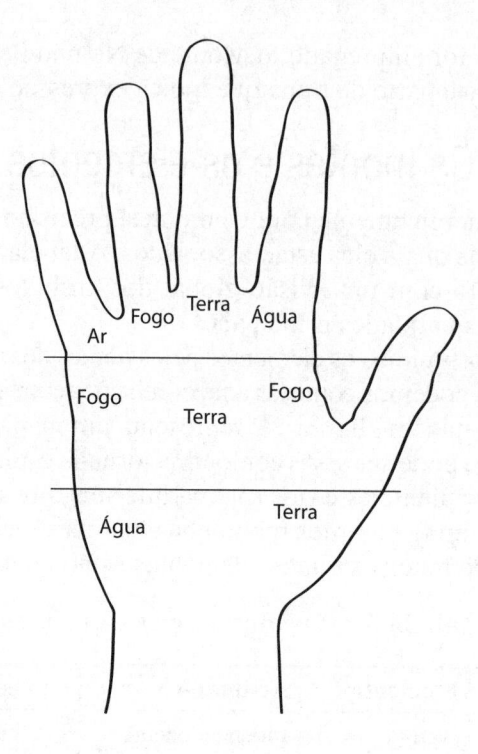

Figura 5.2. Um mapa de nossa jornada elementar.

Se você considerar o centro da palma como a Planície de Marte, em vez de Terra, a passagem do meio iria se consistir somente de fogo, que simboliza transformação. Contudo, eu gosto de ver a terra em todas as três partes da mão, porque a considero o núcleo de verdade em nosso âmago. Começamos nossa jornada pela vida com ele e o carregamos sempre conosco. Esse núcleo pode passar por transformações, mas ele resiste.

A seguir, minha interpretação dos elementos dos montes como a jornada da vida: começamos como terra e água. O elemento água é emoção e mudança; o Monte de Luna é consciência. Isso é combinado com Terra, elemento da forma e da manifestação. O atributo-chave do Monte de Vênus é manter-se fisicamente ligado à realidade. Dessa forma, somos seres espirituais com uma faísca de consciência que se manifesta em nossos corpos físicos.

Com esses corpos terrestres, somos assados no forno da vida. O fogo é o elemento da transformação e os Montes de Marte se associam à coragem. É preciso coragem para traçar nosso caminho no mundo, para defendermos nosso território e mantermos a honra e os princípios. Somos testados por nossas experiências. Se nos mantivermos ligados em nosso caminho, podemos transformar os fogos da experiência em uma vida de harmonia e satisfação. A parte superior de nosso mapa nos oferece esses quatros elementos. Os atributos-chave dos quatro montes são a independência, a continuidade, a harmonia e a comunicação, todos servem para nos deixar em equilíbrio com nós mesmos, com nossas famílias e com nossa comunidade.

Prática Um: Jornada elementar até a palma

Leva-se tempo para meditar sobre sua jornada utilizando o mapa dos elementos da figura 5.2. Foque na quietude da palma inferior até que se sinta centrado e ligado na realidade. Ache aquele núcleo de verdade que é você, a parte de sua personalidade que tem estado com você desde quando pode lembrar. Quando sentir certeza e segurança com relação a isso, permita que sua consciência se desloque para as mudanças estruturais pelas quais você tem passado. Relembre dos fogos, pelos quais seu caminho o levou. Não se alongue demais aqui. Avance para o presente.

Muitos de nós continuam a escalar o topo da montanha do equilíbrio e da harmonia. Mesmo que nossa jornada seja no sopé da montanha, no planalto ou no cume, devemos desfrutar da vista e da experiência. Seja escalando ou descansando, saber quem somos é essencial para a jornada. A jornada nunca termina porque, mesmo quando alcançamos o cume, haverá sempre mais para aprender sobre nós mesmos. O trabalho nunca está completo. O equilíbrio na vida pode ser efêmero e requer consciência e carinho para se manter. Mantermo-nos presentes em nós mesmos e em nossas vidas faz com que nos foquemos em nossos caminhos.

Prática Dois: O centro da Terra

Já observamos a importância de considerarmos a Terra como o centro de nossas mãos, pois é uma área na qual as energias de todos os montes convergem. Ativar os chacras da mão pode manter essa energia fluindo suavemente e nossa energia global, centrada e alicerçada.

Sente-se confortavelmente em uma cadeira ou no chão, com suas mãos no colo, as palmas viradas para cima. Feche seus olhos e visualize um círculo no centro de cada palma. Enquanto esses círculos se tornam claros no olho de sua mente, veja-os rodar até que você sinta um curso estável de energia. A direção da energia será diferente em cada mão. Em sua mão dominante, imagine a energia fluindo no sentido horário, e no sentido anti-horário em sua outra mão.

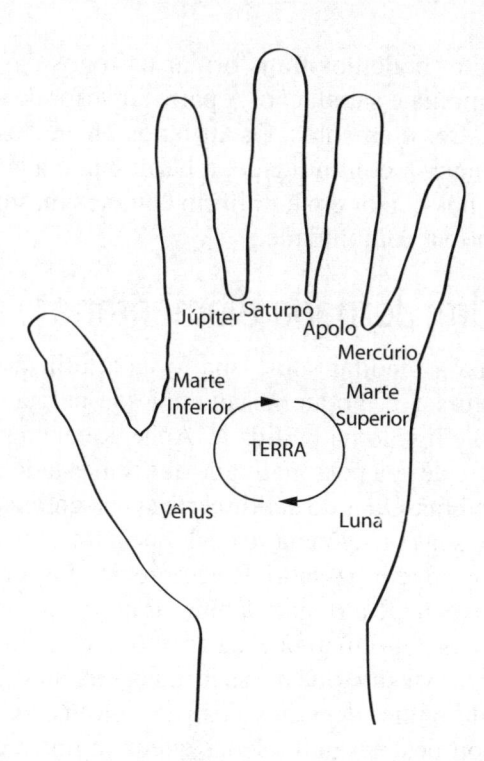

Figura 5.3. Um círculo de energia com a Terra no centro nos mantém centrados e faz com que as energias dos montes fluam.

Quando você sentir os chacras girando, visualize a energia mudando de direção. Em vez de ela rodar na superfície da palma, visualize-a movimentando-se a partir de cada monte em direção ao centro da palma – o centro da Terra. Daqui, circulará através do portal energético da mão, saindo do portal pelas costas da mão. A energia se move para fora desse portal, pelos lados das mãos, para os montes e, então, de volta para o centro.

Permita que essa energia continue fluindo até que você comece a sentir que vai desvanecer. Permita que o processo chegue ao fim. Sente-se em silêncio e tome consciência de qualquer pensamento ou sentimento que surgir. Termine a prática visualizando uma pétala de flor brotando de cada monte. À medida que se fecham sobre o centro da palma, sinta os chacras da mão também se fechando.

6

A Energia dos Montes Combinada

É comum que haja um monte mais desenvolvido do que os outros; entretanto, muitos de nós tendem a ter dois montes proeminentes.[84] Isso, é claro, resulta em uma mistura de características e, com frequência, em uma combinação de energia elementar. Este capítulo fornece informações sobre as características das combinações de energia dos montes.

Júpiter e Saturno fornecem uma combinação entre independência e continuidade. As pessoas que possuem montes de Júpiter e Saturno proeminentes são introspectivas e se conhecem suficientemente bem para serem confiantes e capazes de lidar com a maioria das coisas que a vida joga sobre elas. Por causa de sua ética no trabalho, são líderes confiáveis que guiam os outros em direção ao conhecimento, não ao ego. Por serem observadoras, podem interpretar situações com rapidez e encontrar o meio mais justo para resolver os problemas.

O outro lado dessa combinação pode resultar em alguém sombrio e dominador, reservado ou egoísta.

A combinação elementar é de água com terra, que fornece altas aspirações e objetivos, além da vitalidade e perseverança necessárias para alcançá-los.

Júpiter e Apolo fornecem uma combinação entre independência e versatilidade, que será útil para essas pessoas ao longo de suas vidas. Seus princípios e padrões elevados poderão ser questionados pelos outros, porém sua assertividade delicada e personalidade calorosa e genuína normalmente conquistam a todos.

---

84. De Saint-Germain, *Practice of Palmistry*, p. 137.

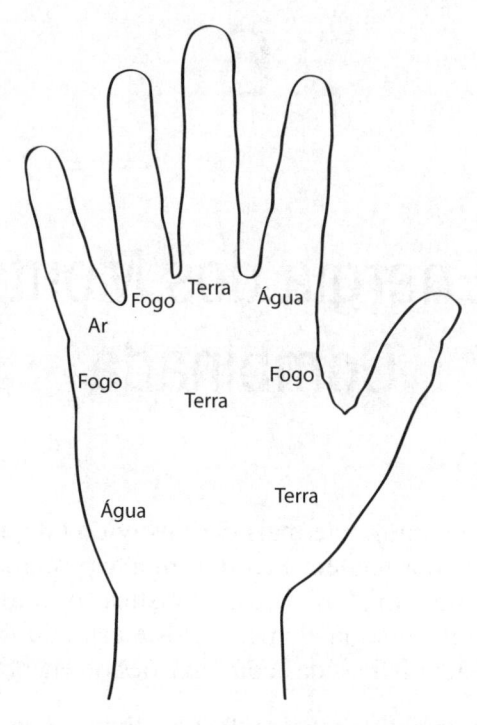

Figura 6.1. Os elementos dos montes.

O outro lado dessa combinação é alguém que não somente procura ser o centro das atenções como o faz com gosto.

A combinação de elementos é o fogo e a água, o que se espera resultar em alguém em conflito consigo mesmo. Na verdade, a criatividade ardente dessa pessoa se sustenta por uma fonte profunda que flui do nível da alma.

Júpiter e Mercúrio apresentam uma combinação entre independência e comunicação. Isso indica alguém que sempre tem os pés no chão graças ao seu juízo, à sua confiança e à sua intuição. No papel de liderança, seu poder de persuasão se origina do tato, assim como seu senso de humor. Com propensão para negócios ou ciências, essas pessoas avançam e brilham como líderes. O atributo que permeia seu sucesso é a comunicação eloquente, com a qual elas podem motivar a si mesmas e os outros.

O lado oposto dessa combinação pode resultar em pessoas cujas ambições e ganância afiadas poderão torná-las experientes manipuladoras.

A combinação de elementos é água e ar. Com a rapidez de Mercúrio, o ar se transforma em vento, gerando um conjunto poderoso de elementos que formam o mundo. Essas pessoas têm a habilidade de dar forma às suas vidas, em seus próprios termos.

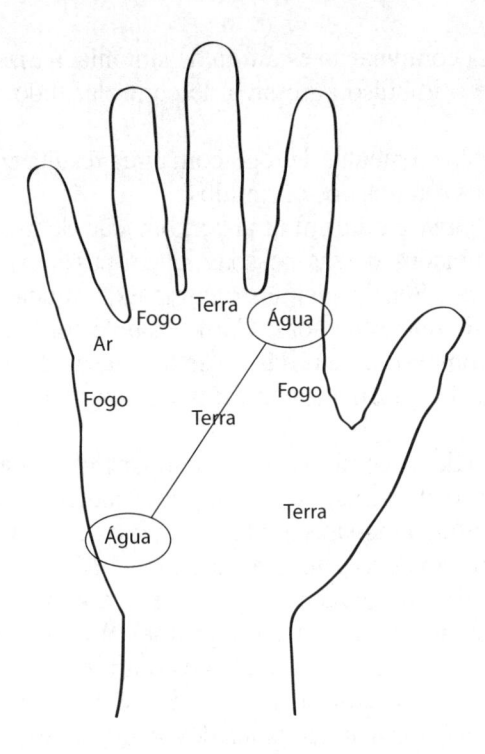

Figura 6.2. A combinação forte entre água e água: Júpiter e Luna.

Júpiter e Marte Superior combinam independência e coragem. Essas pessoas têm presença de espírito e confiança suficientes para enfrentar qualquer situação que se apresente. Por causa da responsabilidade, que aceitam de bom grado, essa capacidade aguçada se estende para a proteção dos outros.

O lado oposto dessa combinação pode resultar em uma pessoa cujos princípios não são muito elevados e, em conjunto com um temperamento agressivo, tem-se um valentão.

A combinação elementar é fogo e água, o que permite que as pessoas sejam líderes corajosos que não perdem contato com suas verdadeiras emoções.

Júpiter e Marte Inferior também são uma combinação entre independência e coragem. Enquanto a combinação anterior refere-se à coragem física, esta se preocupa com a moralidade e a coragem para manter crenças e princípios. Por não ser alguém que segue a multidão somente por ser fácil, a independência dessa pessoa se estende profundamente aos valores pessoais. A igualdade e a justiça são seu modo de vida.

Quando essa combinação está fora de sintonia, a máscara de extravagância mal cobre o impulso agressivo de controlar tudo, inclusive outras pessoas.

A combinação elementar de fogo com água resulta em um líder corajoso, que luta pelos direitos dos oprimidos.

Júpiter e Vênus produzem uma combinação de independência com vitalidade. As ambições dessas pessoas levam-nas a servir aos outros e melhorar suas vidas. Seus princípios e compaixão ajudam-nas a focar no bem-estar físico de outras pessoas. Com bastante força e vitalidade, elas guiam outros a compartilharem das mesmas causas. Suas vidas pessoais são marcadas pela afeição, pela generosidade e por relacionamentos de respeito mútuo.

O outro lado dessa combinação é o narcisismo e o egoísmo.

A combinação elementar de água com terra oferece uma estabilidade fluida que permite às pessoas seguirem o fluxo da vida, assim como se prontificarem com rapidez, quando necessário.

Júpiter e Luna produzem uma combinação entre independência e consciência. Os caminhos religioso e espiritual são importantes para essas pessoas, que podem combinar seus talentos por meio da liderança clerical ou pela expressão criativa por intermédio da espiritualidade. Apoiar-se na intuição como guia é uma característica desenvolvida ao longo do tempo, à medida que aprendem a tocar mais fundo em suas almas e psiques.

O outro lado dessa combinação resulta em alguém emocional e tímido demais, ou autocentrado de forma extravagante e cuja intuição e senso de princípios não foram desenvolvidos.

A combinação elementar entre duas águas pode resultar em uma grande quantidade de emoção. Contudo, quando as pessoas são centradas e equilibradas, não há limites para o que podem alcançar, em virtude da fonte profunda de onde se nutrem.

Saturno e Apolo produzem uma combinação de continuidade com versatilidade. Há duas facetas nessa combinação – a sobriedade de Saturno pode ser iluminada pelo calor solar de Apolo, criando alguém geralmente alegre, ou alguém com uma ponta agridoce. O amor dessa pessoa pela arte funcionará bem com seu olhar observador e mente estudiosa.

O outro lado dessa combinação é alguém cujo aspecto sombrio é empurrado para o centro das atenções sempre que possível.

A combinação elementar de terra com fogo oferece uma estrutura sólida para uma mente ativa e criativa.

Saturno e Mercúrio produzem uma combinação entre continuidade e comunicação. Pessoas com esses talentos são professores especialmente bons e/ou escritores dedicados a passar as tradições adiante. Raciocínio rápido, expressão dinâmica e sabedoria oferecem-lhes a habilidade para pensar e agir a seu modo, algo particularmente importante quando se ensina e se trabalha com crianças. Por terem uma inclinação por ciências e um comprometimento com a ética no trabalho, essas pessoas são particularmente hábeis nas ciências físicas e psicológicas, assim como nos estudos metafísicos.

O outro lado dessa combinação pode produzir pessoas um tanto reclusas e, às vezes, manipuladoras.

A combinação elementar de terra com ar é um cruzamento alquímico; entretanto, esses elementos diametralmente opostos mantêm as pessoas alicerçadas na realidade, enquanto suas mentes exploram outras regiões de possibilidades.

Saturno e Marte Superior oferecem uma combinação de continuidade com coragem. Essas pessoas podem, com frequência, encontrar-se no centro de disputas que não lhes dizem respeito. Em alguns momentos, podem até mesmo se colocar em perigo. Em vez de agirem impulsivamente, elas calmamente examinam todos os ângulos e trabalham no sentido de encontrar soluções, e não simplesmente arbitrando rixas.

O outro lado dessa combinação pode produzir uma pessoa que se atira em brigas sem pensar.

A combinação elementar de terra com fogo oferece a habilidade de observar situações com calma e, então, agir com rapidez, ajudando os outros a resolver causas profundas.

Saturno e Marte Inferior também são uma combinação entre continuidade e coragem. Essa pessoa compreende a importância de manter um fluxo de informações e tradições familiares, assim como sociais. Isso não significa que ela não mude nem cresça, ou que não ajude a família e a comunidade a fazerem o mesmo. Em vez disso, ela pode focar nas ideias e práticas importantes, que valem a pena ser mantidas, com coragem para apoiá-las.

O outro lado dessa combinação é alguém que luta por tradições sem pensar e sem se importar se elas ainda são apropriadas.

A combinação elementar de terra com fogo oferece uma estrutura sólida, na qual o fogo da criatividade e as ideias firmes, com propósitos, podem florescer.

Saturno e Vênus apresentam uma combinação entre continuidade e vitalidade. Com a habilidade de se manter focada e com os pés no chão, essa pessoa assume a responsabilidade de ver as coisas como um todo. Com afeição e sabedoria, ele ou ela toca os corações dos outros e também lhes oferece coragem como apoio.

O outro lado dessa combinação produz alguém um tanto sombrio e autocentrado, que basicamente enxerga somente os aspectos negativos da vida.

A combinação elementar de duas terras resulta em um indivíduo prestativo e carinhoso.

Saturno e Luna são uma combinação entre continuidade e consciência. Para as pessoas com essa combinação, é importante encontrar significados e objetivos profundos na vida. Elas conseguem valer-se de uma vasta quantidade de informações, que obtiveram dos estudos ou por meio da intuição. Também é importante que elas ganhem a vida por meios criativos.

O lado oposto dessa combinação é alguém que, em sua própria mente, é uma lenda. Com um senso inflado de autoimportância, essa pessoa não está ligada à realidade.

A combinação elementar de terra com água resulta em pessoas com a habilidade de manter seu equilíbrio, não importa o que a vida lhes envie pelo caminho.

Apolo e Mercúrio são uma combinação de comunicação com versatilidade. Essas pessoas são inteligentes, expressivas e divertidas, e tendem a ser amigas excessivamente leais. Elas gostam das artes e, em geral, têm talentos em várias disciplinas. São felizes, tanto ao ajudar os outros a descobrir seus potenciais criativos quanto ao explorar os seus próprios.

O lado oposto dessa combinação é uma pessoa cujo esforço para chamar atenção se sobrepõe aos sentimentos alheios.

A combinação elementar de ar com fogo mantém essa pessoa ocupada, procurando novos meios para suas múltiplas formas de expressão.

Apolo e Marte Superior ou Inferior apresentam uma combinação entre versatilidade e coragem. A coragem surge de muitas maneiras e esses indivíduos são capazes de acionar qualquer tipo de mentalidade ou porte físico que uma situação exigir. Essas pessoas são suficientemente sábias para perceber que sua habilidade para gerar harmonia é algo valioso. Elas assumem a ideia do guerreiro compadecido, que usa a força somente quando necessário.

O lado oposto dessa combinação são os indivíduos pavões, que gostam de exibir suas proezas – no caso deles, bravura é bravata.

A combinação elementar de dois fogos resulta em pessoas que estão sempre a ponto de cumprir seus objetivos.

Apolo e Vênus produzem uma combinação de versatilidade com vitalidade. Essas pessoas são agitadoras. Elas possuem o talento e o vigor para responder aos chamados da vida. São calorosas e afetivas e atraem outras pessoas de forma bastante natural, em virtude de sua natureza prestativa.

O lado oposto da combinação é uma pessoa autocentrada que não tem tempo para os problemas dos outros.

A combinação elementar entre fogo e terra oferece a essa pessoa a habilidade de ser bem-sucedida em muitas coisas.

Apolo e Luna apresentam uma combinação entre versatilidade e consciência. Esses traços oferecem uma grande introspecção e a habilidade de dar fruição às coisas. Parece que, não importa o que tentem, eles sempre conseguirão atingir suas metas. Muitas vezes será por meio de caminhos tortuosos, mas sua intuição e criatividade as guiarão por caminhos interessantes.

O lado contrário dessa combinação resulta em pessoas tão envolvidas consigo mesmas e com seus pequenos mundos que não enxergam o que está acontecendo ao seu redor – tanto de positivo quanto de negativo.

A combinação elementar de fogo com água cria tensão suficiente para manter essas pessoas cientes do cenário geral. Elas podem ser ousadas, sem chegar ao limite.

Mercúrio e Marte Superior produzem uma combinação entre comunicação e coragem. Com uma aptidão para as ciências, essa pessoa tem coragem para explorar o mundo a partir de ângulos incomuns. Nos negócios, ele ou ela sabe o que fazer para alavancar um novo empreendimento.

O outro lado dessa combinação produz um mercenário – alguém que venderá seus talentos pelo lance mais alto.

A combinação elementar de fogo e ar mantém esses indivíduos mentalmente em movimento. O mundo oferece tanto para ser explorado e compreendido que eles não podem ficar ociosos. Todo o trabalho e atividade são um prazer.

Mercúrio e Marte Inferior também produzem uma combinação entre comunicação e coragem. Pessoas com esses talentos sentem uma urgência pela vida e, depois que se comprometem com uma carreira ou com um ideal, trabalham duro para se manter em seus caminhos. A primeira impressão é de que são muito sérios e sensatos, mas não demora para que seu senso de humor brilhe.

O lado oposto dessa combinação é alguém cujas ambições pelo sucesso são mais importantes do que os relacionamentos.

Assim como com o Marte Superior, a combinação elementar de fogo e ar mantém a mente dessa pessoa tinindo, procurando por respostas e resolvendo problemas.

Mercúrio e Vênus oferecem uma combinação entre comunicação e vitalidade. Essas pessoas são práticas, com os pés no chão, e gostam de fazer com que os outros sintam-se em casa. À primeira vista, são descomplicadas, mas na verdade possuem uma personalidade de muitas facetas e sempre parece haver mais para ser descoberto sobre elas. Essas pessoas nunca permitem que suas incríveis habilidades sobreponham-se aos talentos dos outros.

O outro lado dessa combinação resulta em alguém que é indiferente e despreocupado com as emoções alheias.

A combinação elementar de terra com ar produz professores incansáveis. Encantados com a riqueza do conhecimento, eles se empenham em ajudar os outros a encontrar seus verdadeiros interesses.

Mercúrio e Luna oferecem uma combinação de comunicação e consciência. A educação é uma parte importante da vida dessa pessoa, mas não se limita à educação formal, ao estudo estruturado. Fascinada pelo que a mente pode alcançar, ele ou ela pode tomar o caminho da ciência para explorar o intangível. Um interesse pelo misticismo e/ou pelo oculto pode levar essa pessoa a explorar outros reinos e forçar os limites da realidade.

O outro lado dessa combinação produz alguém que não tem ligação com a realidade e é capaz de arrastar outras pessoas por um caminho incerto.

A combinação elementar de ar com água produz alguém dotado de profundidade emocional, mas que não é arrastado por ela. A cabeça comanda o coração de um modo generoso.

Marte Superior e Marte Inferior oferecem uma dose dupla de coragem. Entretanto, isso não se traduz necessariamente em bravura diante do perigo. A coragem pode ser a habilidade de encarar cada dia com a mente limpa e com a energia de fazer seu melhor, sem se importar com contratempos anteriores. Essa pessoa é boa em superar obstáculos e levar os outros a fazer o mesmo. Ele ou ela pode movimentar as coisas e enxergar através delas. Esse herói do dia a dia talvez passe despercebido, mas poderá deitar à noite na cama com a consciência limpa.

O lado oposto dessa combinação é alguém indeciso e incapaz de levar sua vida adiante.

A combinação elementar de dois fogos produz energia para que a pessoa seja consciente e firme em tudo que quiser alcançar.

Marte Superior ou Inferior e Vênus produzem a combinação de coragem e vitalidade. Pessoas com essa combinação conseguem o que querem e, então, partem para a próxima batalha, necessitando de pouco ou nenhum tempo para descansar. Elas lutam incansavelmente pelo bem dos outros e esperam pouco ou nada em troca. Fazer o que é certo e ético as leva a ajudar aqueles que não são capazes de encarar suas próprias lutas.

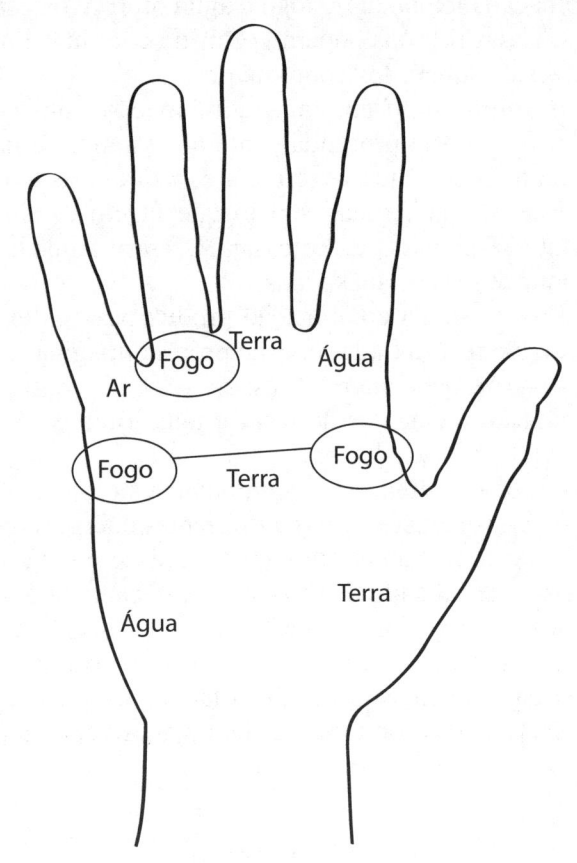

Figura 6.3. Dose dupla de fogo e coragem, que se triplica quando Apolo está envolvido.

O outro lado dessa combinação produz indivíduos apáticos, que preferem focar em seus próprios pequenos problemas.

A combinação elementar de fogo e terra resulta em pessoas que se recusam a ir mais devagar. Sua atividade fortalece sua determinação.

Marte Superior ou Inferior e Luna oferecem a combinação entre coragem e consciência. Essas pessoas tendem a ser intuitivas e bastante corajosas. Sua espiritualidade lhes é importante e nos séculos passados elas provavelmente seriam guerreiros das Cruzadas. Com imaginação e presença de espírito, elas conseguem atravessar praticamente qualquer situação difícil, ou dela sair.

O lado inverso dessa combinação produz pessoas exageradas – emocionalmente e em seu comportamento dominador.

A combinação elementar de fogo e água oferece o desafio dinâmico de opostos. Essas pessoas podem gostar de conflitos em suas vidas, mas são capazes de superá-los com louvor.

Vênus e Luna oferecem uma combinação entre vitalidade e consciência. A água corre profundamente nos montes da parte inferior (estática) da mão. Tudo o que se refere a essas pessoas tem substância e propósito. Elas são apaixonadas pelo que fazem e utilizam muitas formas de criatividade para se expressar. A espiritualidade é, com frequência, o ponto central de suas vidas.

O lado inverso dessa combinação produz pessoas extremamente egocêntricas ou tão mergulhadas em sua própria imaginação que os outros não sabem na verdade quem elas são.

A combinação elementar de terra e água oferece estrutura para alguém que é afetivo e carinhoso.

O objetivo de examinar essas combinações é oferecer uma visão geral de como várias características e diferentes energias trabalham em conjunto. É importante manter em mente que isso é uma visão geral e que é necessário que cada um de nós estude e encaixe as dinâmicas particulares de nossas próprias personalidades. Se algo desagradável for revelado, utilizar a energia elementar do monte pode ajudar a alimentar e fortalecer os aspectos mais positivos. A tabela 6.1 oferece um resumo dos atributos-chave e das combinações elementares contempladas neste capítulo.

Tabela 6.1. Um resumo da combinação de atributos dos montes

Montes	Atributos-chave	Elementos
Júpiter e Saturno	Independência e continuidade	Água e terra
Júpiter e Apolo	Independência e versatilidade	Água e fogo
Júpiter e Mercúrio	Independência e comunicação	Água e ar
Júpiter e Marte Superior e Inferior	Independência e coragem	Água e fogo
Júpiter e Vênus	Independência e vitalidade	Água e terra
Júpiter e Luna	Independência e consciência	Água e água
Saturno e Apolo	Continuidade e versatilidade	Terra e fogo
Saturno e Mercúrio	Continuidade e comunicação	Terra e ar
Saturno e Marte Superior e Inferior	Continuidade e coragem	Terra e fogo
Saturno e Vênus	Continuidade e vitalidade	Terra e terra
Saturno e Luna	Continuidade e consciência	Terra e água
Apolo e Mercúrio	Versatilidade e comunicação	Fogo e ar
Apolo e Marte Superior e Inferior	Versatilidade e coragem	Fogo e fogo
Apolo e Vênus	Versatilidade e vitalidade	Fogo e terra
Apolo e Luna	Versatilidade e consciência	Fogo e água
Mercúrio e Marte Superior e Inferior	Comunicação e coragem	Ar e fogo
Mercúrio e Vênus	Comunicação e vitalidade	Ar e terra
Mercúrio e Luna	Comunicação e consciência	Ar e água
Marte Superior e Inferior	Coragem e coragem	Fogo e fogo
Marte Superior e Inferior e Vênus	Coragem e vitalidade	Fogo e terra
Marte Superior e Inferior e Luna	Coragem e consciência	Fogo e água
Vênus e Luna	Vitalidade e consciência	Terra e água

7

Formatos das Mãos, Montes e Quadrantes

Nos capítulos anteriores, aprendemos sobre as características e as energias elementares dos formatos de mãos, quadrantes e montes. Também vimos a jornada elementar pela paisagem da palma. Agora, juntaremos tudo isso para explorar os efeitos que essas várias características exercem umas sobre as outras. Começaremos focando a relação entre o formato geral da mão e dos quadrantes e então examinaremos a relação do quadrante maior com o monte predominante.

A energia combinada do formato da mão e dos quadrantes

Como foi discutido no capítulo 3, o formato da mão revela nosso elemento básico, que nos fornece a base para compreendermos nossa verdadeira natureza. Os tipos de personalidade para os formatos das mãos são os seguintes:

- Terra: o prático
- Ar: o intelectual
- Fogo: o intuitivo
- Água: o sentimental

Terra: o prático

O arquétipo dessa pessoa é de alguém estável, com os pés no chão e que utiliza muito o senso comum. Se o quadrante de terra for o maior, a pessoa será forte, adaptável e possuirá muita vitalidade. Quando o quadrante de água é o maior, a criatividade e a imaginação podem ser encaradas com uma abordagem metódica, que resulta em uma forma de expressão satisfatória. Com o quadrante de ar, a paciência e o conhecimento resultam em professores extraordinários. O fogo como o quadrante predominante, nesse formato de mão, traz assertividade e energia direcionadas para fazer as coisas de seu próprio jeito.

Ar: o intelectual

O arquétipo para esse formato de mão identifica uma pessoa que vive de acordo com sua mente e é motivada, com frequência, por um desafio intelectual. Quando o ar for o quadrante maior, essa pessoa se envolverá, de uma forma ou outra, com a educação. A terra como o quadrante maior traz um foco equilibrado no mundo material e um pensamento abstrato. O fogo como o quadrante maior coloca as ideias e o conhecimento para trabalhar. Dar aulas pode ser uma boa pedida, mas a forte ambição e o desejo de ganhar bem tendem a pesar mais. Quando a água é o quadrante maior, o artista interior não poderá resistir a querer ficar em uma posição bem visível.

Fogo: o intuitivo

Esse arquétipo se encaixa em um indivíduo com uma energia intensa, que faz as coisas acontecerem. Essas pessoas são extremamente expressivas e apaixonadas pelo que lhes interessar. O fogo como o quadrante maior traz aspirações que não param enquanto a pessoa não atingir o topo. Quando a água é o quadrante maior, a intuição é a luz que guia. O ar como o maior quadrante pode ser desesperador em alguns momentos, por causa de sua natureza dúbia em potencial: um lado é muito racional, mas este pode ser surpreendido quando uma faísca de impulso se acende. A terra como o quadrante maior traz uma influência estável para qualquer abordagem independente de questões importantes.

Água: o sentimental

O arquétipo dessa mão descreve indivíduos que estão em contato com as emoções e, às vezes, são comandados por elas. Quando a água é o maior quadrante, essas pessoas são, com frequência, aquelas que cuidam dos outros, que não se limitam aos membros familiares. O ar como o quadrante maior traz uma mente aberta e a habilidade de guardar segredos, o que tende a colocar essas pessoas em funções relacionadas à saúde. O fogo como o quadrante maior resulta em pessoas que são agentes de mudança, com energia suficiente para levar as coisas adiante. A terra como o maior quadrante traz uma dicotomia no modo pelo qual as pessoas reagem aos problemas que a vida lhes apresenta: às vezes, podem se ferir com facilidade, e, em outros momentos, podem ser casca-grossa e não se importar com o que os outros dizem ou pensam sobre elas.

A energia combinada dos quadrantes e dos montes

Tendo em mente a relação entre o formato da mão e o quadrante, partimos para os quadrantes e os montes. Fazendo um apanhado geral das combinações elementares do quadrante e do monte, percebemos que a metade estática (inferior) da palma divide-se entre água e terra. Como mostrado na figura 7.1, na página 96, a metade ativa (superior) da palma contém todos os elementos – embora os quadrantes de ar e fogo contenham uma mistura destes, nenhum quadrante contém todos os quatro elementos.

Eu penso na parte inferior da mão como a água e o barro que nos dá forma, e na parte superior, com sua variedade de energias elementares, como a faísca que nos dá vida. Examinaremos cada quadrante, começando com os da parte inferior da mão. Como foi destacado no capítulo anterior, podemos ter dois montes de igual proeminência. Nesse caso, haverá uma mistura de características, que será discutida em cada um dos seguintes quadrantes.

O quadrante de água

Na parte exterior da mão, o quadrante de água ocupa a área estática subconsciente. O único monte nesse quadrante é o de Luna, que se associa à água. Como diz o ditado, águas calmas são profundas, e esse quadrante certamente lida com o Eu interior. Imaginação, intuição, sonhos e memórias são aspectos sobre os quais não temos nenhum controle – podemos ignorá-los, o que nos desliga de nosso Eu interior.

Esses aspectos exploram nossas profundezas e trazem nossa singularidade e individualidade para a superfície. Eles estão no âmago de nossas almas e, no elemento da água, fazem com que nos tornemos vivos. A água, que dá a vida, manifesta por meio desses aspectos quatro sementes que podem nos ajudar a florescer e a crescer. Quando o quadrante de água toca o centro da palma, ele colhe um pouco de energia da terra. Isso é suficiente para que as sementes sejam plantadas na realidade, a fim de que cresçam em um equilíbrio saudável.

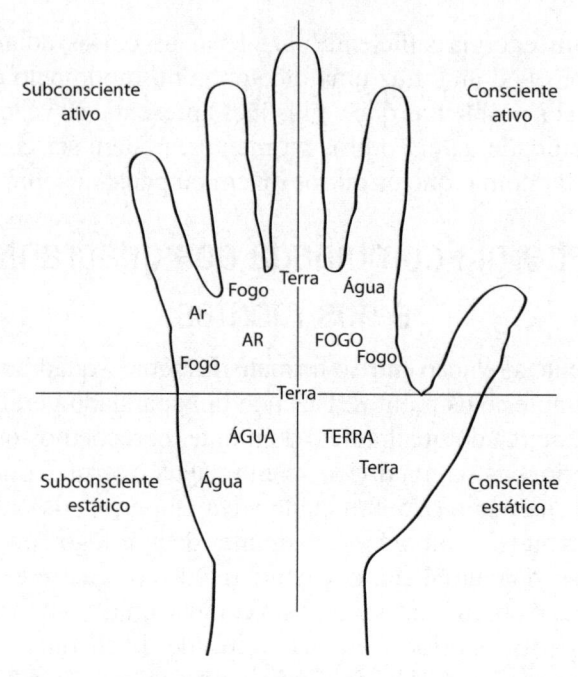

Figura 7.1. A combinação de elementos dos quadrantes e dos montes.

Se a água for o quadrante maior, ele revelará alguém que é visto pelos outros como sensível, intuitivo, imaginativo e solidário. Isso também representa o temperamento básico da pessoa. A seguir, um panorama de como isso combina com os montes.

Júpiter como o monte proeminente fortalece o elemento água. Ao lidar com a compaixão, a generosidade dessa pessoa é interminável. Saturno como o monte proeminente oferece a habilidade de olhar profundamente para seu âmago, entrando em contato com os quatro aspectos de nosso interior. Isso permite que a criatividade siga um fluxo contínuo do subconsciente até a luz do dia e à expressão saudável. Apolo como o monte proeminente traz um cruzamento entre elementos e versatilidade para manter a expressão fluindo livremente.

Mercúrio como o monte maior traz à mente a habilidade de processar e apresentar o que a imaginação visualiza. Marte Superior traz a presença de espírito para se manter firme e explorar racionalmente as paisagens da mente que possam parecer fantásticas. De forma similar, Marte Inferior oferece coragem suficiente para mergulhar abaixo da superfície, em direção às águas misteriosas.

Vênus oferece a substância para a manifestação física; o que pode ser sonhado, pode ser concretizado. Luna como o monte proeminente traz uma grande dose dupla de energia da água. Com características quase idênticas, Luna acrescenta consciência para iluminar as profundezas da alma. Quando bem alimentada, essa combinação pode resultar na vida como poesia – profunda, estimulante e fluida.

O quadrante de terra

Localizado onde o polegar se liga à mão, o quadrante de terra é a área estática consciente da palma. Vênus é o único monte que ocupa esse quadrante, acrescentando elementos de terra a elementos de terra. Mesmo onde esse quadrante encontra o centro da palma, ele toca a terra. É o único que consiste em somente um elemento. A terra se relaciona aos aspectos físicos e não deveria ser uma surpresa que a maior linha que cruza essa área da mão seja a linha da Vida, a maior linha de terra. As linhas serão contempladas mais adiante neste livro.

Os principais aspectos do quadrante de terra são a vitalidade física, a estabilidade, a sensualidade, a sexualidade e o equilíbrio. No núcleo da vida diária, esses aspectos básicos e essenciais oferecem uma base sólida sobre a qual nossas características podem repousar. Eles são o barro a partir do qual somos formados. A noção de estarmos ligados à realidade diz tudo, pois, nesse estado, sentimo-nos confortáveis com nós mesmos e capazes de alcançar grandes feitos.

Quando a terra é o quadrante maior, a pessoa é segura, prática e tradicional – com frequência, representa a ideia de "sal da terra". A seguir, uma visão geral de como esse quadrante combina com a energia dos montes.

Júpiter como o monte predominante tem o potencial de produzir um dos melhores tipos de líderes. Quando essa pessoa assume o controle, os outros sabem que estão em boas mãos e que tudo está bem. Saturno ecoa o aspecto terrestre e a honestidade desse quadrante. Com uma grande sabedoria para ser compartilhada, essa pessoa normalmente adota a discrição, para manter os holofotes sobre o trabalho, e não sobre o indivíduo. Apolo como o monte predominante traz calor e alegria para essa pessoa prática, resultando em alguém que se delicia com pequenos prazeres e tem pouca necessidade de pretensões chamativas.

Mercúrio como o monte predominante oferece uma voz que geralmente é utilizada para clamar por justiça. Marte Superior amplia o lado físico das habilidades dessa pessoa – força, estabilidade e coragem são suas marcas. Marte Inferior como o monte predominante revela alguém que não desiste facilmente e, quando necessário, não desistirá sem lutar. Contudo, essa mentalidade está longe de ser a de um lutador de rua encrenqueiro, pois a luta se baseia em princípios e direitos.

Quando Luna é o monte predominante, as primeiras impressões com frequência escondem uma profundeza latente. Essas pessoas podem passar despercebidas até que se expressem e, então, os outros se sentarão e prestarão atenção nelas. A atratividade surge em função de um Monte de Vênus predominante, mas não há uma carga narcisista, pois ela brilha com luz interior verdadeira.

O quadrante de fogo

Esse quadrante, localizado abaixo do dedo indicador e metade do dedo médio, nos traz uma consciência ativa. Também é uma área da mão que usamos principalmente para enviar e receber sinais do cérebro. É mais complexo do que os quadrantes da parte inferior da mão, porque há mais energia elementar envolvida aqui, assim como mais montes. Os elementos dessa área são o fogo, a água e a terra. Os principais aspectos do quadrante de fogo são as aspirações, a vontade, a independência e o foco. Quando eles se juntam, encontramos executores que não ficam simplesmente falando sobre as coisas, eles fazem a bola rolar.

Quando o fogo é o quadrante maior, há uma grande quantidade de energia e de entusiasmo. Essas pessoas sempre manterão os pés no chão, pois sua vontade e determinação as mantêm focadas no que é essencial. A seguir, um panorama de como esse quadrante combina com a energia dos montes.

Júpiter pega a energia das aspirações e da independência e a catapulta, fazendo com que essa pessoa possua uma vocação para o pioneirismo. Saturno, como o monte predominante, diminui a temperatura da energia do fogo, mas mantém a vida fervendo. Em alguns momentos, quando houver necessidade de solidão, poderá surgir um conflito interior; ao fim, entretanto, render-se a isso fornece fôlego para que grandes ideias floresçam. Apolo como o monte predominante traz um tipo de fogo diferente para esse quadrante. Ele queima lentamente, de modo não tão intenso, permitindo um tempo para que o momento seja desfrutado. Fogo é sempre fogo, e essas pessoas terão sucesso no que quiserem e para onde direcionarem sua energia.

Mercúrio parece atiçar as chamas, oferecendo o ar que aumenta a energia do fogo. Expressão ativa e boa comunicação direcionam a criatividade. Marte Superior acrescenta fogo ao fogo e a parte física desse monte cria um oponente formidável. Marte Inferior localiza-se no quadrante de fogo e, como monte predominante, produz um efeito estruturante. A firmeza mantém o entusiasmo, fazendo com que o foco não se perca.

Vênus como o monte predominante alimenta a energia do fogo com vitalidade. Além disso, provê uma estrutura para características humanas importantes que ajudam a manter ambições realistas. Lua como o monte predominante alimenta a expressão criativa, mantendo os canais profundos, abertos e acessíveis.

O quadrante de ar

Esse quadrante localiza-se na metade superior da mão, abaixo do dedo mindinho, do anular e metade do dedo médio. É a área subconsciente ativa da palma. Assim como o quadrante de fogo, contém três elementos: ar, fogo e terra. O quadrante de ar baseia-se na mente: conhecimento, inteligência, comunicação e artes. Essas são qualidades que enfatizam nossa humanidade, assim como, em um nível mais elevado, a vida.

Quando esse é o quadrante maior, a pessoa é inteligente, estudiosa e possui, acima de tudo, uma mente aberta – afinal de contas, isso é uma marca de sabedoria. A seguir, um panorama sobre como esse quadrante combina com a energia dos montes.

Júpiter como o monte predominante tem seus traços de liderança e de ambição realçados pelo conhecimento e pela racionalidade do quadrante. Saturno compõe o conhecimento com a sabedoria e oferece uma visão única das coisas. Introspecção é um componente-chave. Apolo como o monte predominante traz versatilidade à busca pelo conhecimento, algo comum nas artes. A apreciação pelo belo oferece uma grande inspiração.

Mercúrio traz mais foco nas habilidades mentais, mas a perspicácia e o bom humor são essenciais. Marte Superior como o monte predominante traz consistência. A coragem não se origina do atrevimento físico, mas da inteligência e do pensamento rápido. Marte Inferior combina iniciativa com a busca pelo conhecimento, resultando em uma pessoa que gosta de pesquisar e encontrar respostas para problemas fascinantes.

Vênus como o monte predominante mantém a pessoa cerebral ligada à realidade e em contato com seu corpo e seu espírito. Essa pessoa tende a ser equilibrada e preparada. Luna como o monte predominante pode trazer desafios, já que a imaginação e a criatividade podem entrar em conflito com o lado mais racional da mente. Entretanto, a consciência que Luna traz enriquece e unifica essas habilidades mentais diversas.

Prática: Trabalhando com a energia dos quadrantes

Estimular a energia de um quadrante ajuda a integrar as forças elementares do monte predominante. Para isso, comece por estruturar e centralizar sua energia. Trabalharemos com a palma da mão dominante. Quando estiver pronto para começar, coloque a ponta do polegar de sua mão não dominante no centro da palma de sua mão dominante. Movimente-o em círculos, no sentido horário, para estimular o chacra e estabilizar a energia da Planície da Terra (o centro da palma).

Quando o chacra estiver energizado, passe a fazer o movimento circular em seu quadrante maior. Quando ele começar a ficar energizado, mova o polegar para seu monte predominante ou para os dois montes predominantes, um de cada vez. Após fazer os movimentos circulares no(s) monte(s) e no quadrante, volte com o polegar para o centro da palma. Não faça pressão nem movimento: simplesmente segure a energia no centro. Quando parecer que a energia está se dissipando, coloque suas mãos no colo, com as palmas viradas para cima. Mantenha-se nessa experiência por alguns momentos e, então, termine sua sessão fechando os chacras da palma.

Esse exercício também pode ser feito com cristais e pedras preciosas ou símbolos dos elementos. Para usar cristais e pedras preciosas, faça sua escolha na tabela 7.1, de acordo com o quadrante maior. Como já foi destacado, coloque a pedra no centro da palma de sua mão dominante para ativar o chacra.

Quando você sentir o movimento energético, deslize a pedra para o maior quadrante e deixe-a ali. Depois que essa área da palma estiver energizada, mova o cristal para o(s) monte(s) predominante(s). Quando sentir que a energia está fluindo, retorne com a pedra para o centro da palma para uma estruturação energética final. Assim como no método anterior, repouse suas mãos no colo ao final da sessão.

Tabela 7.1. Cristais e pedras preciosas para o trabalho energético.

	Água	Terra	Fogo	Ar
Pedras por associação	Opala, pérola, aquamarine, amazonita, calcedônia azul	Andaluzita, hematita, azeviche, malaquita, quartzo, turmalina	Peridoto, ametrina, obsidiana, rodocrosita, pedra do sol	Angelita, calcita azul, azurita, celestita, fluorita
Pedras por cores	Ágata azul rendada, iolita, lápis-lazúli, safira, sodalita, turmalina azul, turquesa, larimar	Aventurina, esmeralda, jade, ágata musgo, cornalina, serpentina, estaurolita, turmalina verde ou negra.	Granada, rubi, berilo, citrino, jaspe, cornalina, topázio	Quartzo branco/claro, diamante, pedra da lua, safira branca
Símbolo	▽	□	△	○

Para usar os símbolos dos elementos, comece colocando seu polegar no centro da outra palma, assim como no primeiro método de desenhos circulares. Aplique uma pressão leve ou desenhe círculos horários até sentir o chacra da mão ativado. Mova seu polegar para o quadrante maior e desenhe, três vezes, o símbolo do elemento desse quadrante. Repita isso no monte que tiver igual tamanho e, então, retorne o polegar para o centro da palma. Enquanto a energia se dissipa, repouse suas mãos no colo por alguns momentos.

Nesses exercícios, movimentamos a energia dos quadrantes para potencializá-la e combiná-la com a energia do(s) monte(s) predominante(s). O trabalho com os elementos de nossas características inatas ajuda a amplificar nossos aspectos mais positivos. Começar e terminar no centro da palma provê estabilidade conforme o chacra é aberto e depois fechado. O elemento terra no centro oferece equilíbrio.

8

As Zonas e os Dedos

Nas tradições antigas da quiromancia, o primeiro nível para se avaliar as características gerais era alcançado por meio do uso de três zonas. Era comum referirem-se a elas como os "três mundos". Esses mundos, ou zonas, dividiam a mão em três partes. A acepção básica das zonas era a de que a pessoa ocupava-se, primeiramente, com assuntos da mente, da vida diária e dos instintos mais básicos.[85] Como vemos na figura 8.1, na página 104, a primeira zona (superior) consiste principalmente nos dedos, enquanto a palma contém a segunda (zona média) e a terceira (zona inferior).

As três zonas

As zonas têm sido interpretadas de diferentes formas, tanto divinas, morais e materiais[86] quanto mentais, materiais e emocionais.[87] A tabela 8.1 contém uma lista das várias designações aplicadas às zonas.

Tabela 8.1. Designações das três zonas

Zona Superior	Etérea	Superego	Mental	Divina	Intelectual	Mental	Céu
Zona Média	Material	Ego	Material	Moral	Prática	Social	Terra
Zona Inferior	Básica	Id	Emocional	Material	Física	Instintivo	Inferno

---

85. Gettings, *Book of The Hand*, p. 28.
86. Benham, *Laws*, p. 86.
87. De Saint-Germain, *Practice of Palmistry*, p. 15.

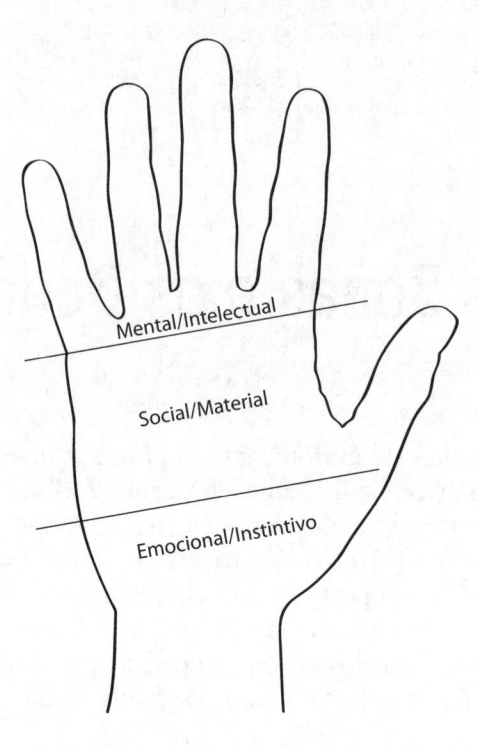

Figura 8.1. As três zonas ou mundos.

O conceito de três zonas teve origem no ensino de Aristóteles sobre os diversos aspectos da alma humana. Ele os classificou de inferiores a superiores, da seguinte forma:

- *Vegetabilis*: o aspecto que dá vida, mas não sente.
- *Sensibilis*: o aspecto que dá vida e sente, mas não racionaliza.
- *Racionabilis*: o aspecto que dá vida, sente e racionaliza.[88]

A terceira zona compreende a parte inferior da palma, que é ocupada pelos montes de Vênus e Luna. Como já foi mencionado, ela tem sido denominada como mundo-base porque se relaciona aos nossos instintos, desejos e necessidades básicas. Em termos freudianos, equivale ao *id*. Todavia, considero essa zona como nossas raízes. Como vimos com os montes de Luna e Vênus e com os quadrantes inferiores, essa área da mão relaciona-se ao nosso ser físico, nossas paixões, desejos, sonhos, memórias e imaginação. Permanecer somente nesses aspectos pode não ser saudável, mas ignorá-los ou reprimi-los também não é. Como já vimos, o equilíbrio é a chave.

---

88. Gettings, *Book of The Hand*, p. 29.

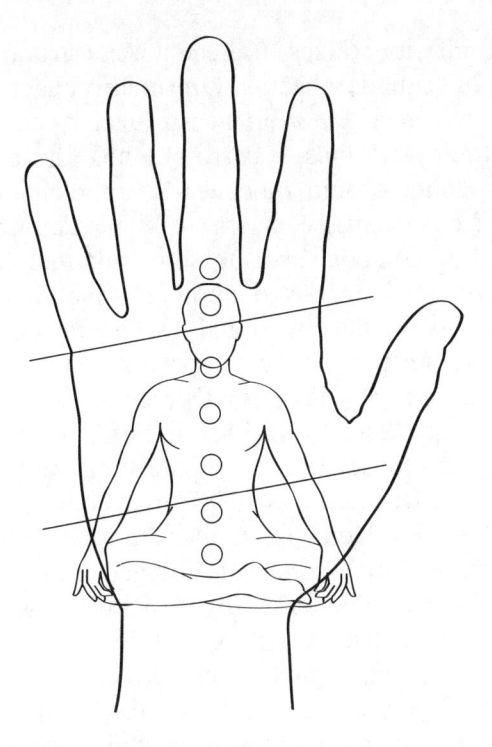

Figura 8.2. Uma ilustração de como as três zonas se relacionam aos nossos sete chacras (centros de energia).

A segunda zona, ou zona média, ocupa a parte superior da palma e costuma ser denominada mundo material. Essa área se relaciona aos assuntos práticos do dia a dia. Todos os outros montes estão localizados ou parcialmente localizados nela, oferecendo as características e talentos de que necessitamos para funcionar na vida diária. Ela representa o aqui e o agora. Apesar de essa zona se relacionar à posição na vida e a assuntos práticos, também se associa à nossa bagagem emocional. Vemos isso brotar em algumas das características dos montes e das energias elementares, como a sensibilidade de Saturno, ou a paixão e o romantismo do elemento fogo.

A primeira zona ou zona superior é composta principalmente pelos dedos e se relaciona às habilidades mentais e à espiritualidade. É denominada "mundo ideal" porque se associa aos nossos ideais e aspirações.[89]

Enquanto a tabela 8.1 ilustra as várias alterações sofridas pelas zonas ao longo dos anos, posso ver uma ligação com os sete principais

---
89. Levine, *Palmistry*, p.18.

chacras. A zona inferior (raízes) oferece nossa estrutura e se relaciona com o primeiro e segundo chacras. O primeiro chacra ou chacra raiz refere-se à sobrevivência e a criar nosso lugar na terra. Isso está relacionado ao Monte de Vênus, o barro que nos forma e nos oferece a parte física. O segundo chacra, ou chacra sacro, relaciona-se ao desejo, à (pro)criação e à emoção. Esse chacra e o Monte de Luna associam-se à água e à profundeza de onde nasce nosso mundo interior.

A zona média relaciona-se ao modo pelo qual funcionamos no cotidiano, assim como na vida emocional. Os chacras três, quatro e cinco encaixam-se nessa área porque são como a maioria dos montes, refletindo nosso modo de agir na vida diária. O terceiro chacra, do plexo solar, relaciona-se à coragem e ao poder. Mesmo estando associado à força de vontade e à projeção de nossa energia para fora, também reflete nossa escolha de usar o poder interior para servir aos outros ou para manipular as pessoas. Isso se relaciona a Júpiter e aos dois montes de Marte, que carregam nossas características de coragem e liderança.

O quarto chacra, do coração, diz respeito ao amor, à compaixão e a conhecer nossa verdadeira natureza. Isso combina com a alegria do Monte de Apolo e sua característica de lealdade, assim como com a cordialidade de Júpiter e sua generosidade. O quinto chacra, da garganta, relaciona-se à nossa criatividade e à habilidade de dar voz ao que queremos e precisamos. Diz respeito à expressão, o que se relaciona ao Monte de Mercúrio e à comunicação. Ele também se associa à criatividade do quadrante de fogo.

A terceira zona do intelecto, da consciência e da espiritualidade relaciona-se aos sexto e sétimo chacras. O sexto chacra, da sobrancelha ou terceiro olho, associa-se à intuição e ao *insight*. Diz respeito à percepção profunda, ao despertar e a testemunhar a própria vida – estar presente naquele momento. O sétimo chacra, da coroa, é nossa conexão com a consciência cósmica, assim como com nossos objetivos de vida.

Por meio dessa comparação, podemos perceber como somos "construídos" a partir de uma estrutura vertical e que nenhuma parte ou aspecto do eu é de pouca importância ou mérito. Achei curioso o fato de Aristóteles ter relacionado essas três zonas (da inferior à superior) aos elementos de água, fogo e ar. Veremos como transformar esses três em quatro e, finalmente, em cinco elementos, usando os dedos e o polegar.

O princípio da materialidade graduada

Encontramos o mesmo conjunto de propriedades (físicas, práticas e intelectuais) e uma progressão de elementos (água, fogo, ar) das zonas refletidas nas três partes dos dedos. A princípio, poderia parecer que isso é um grande desequilíbrio, sem meios de ser harmonizado. Contudo, se nos voltarmos para o princípio da materialidade graduada para

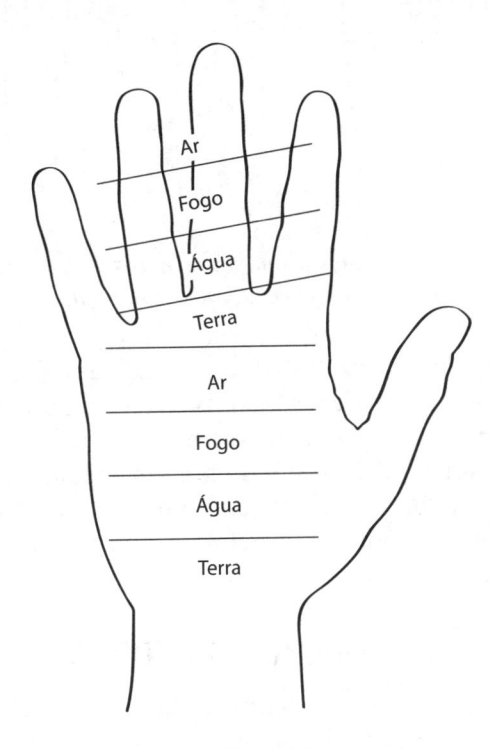

Figura 8.3. A materialidade graduada provê a terra para o equilíbrio, que não está presente nas zonas.

encaixar todos os quatro elementos nesse contexto, podemos deixar as zonas e os dedos em um equilíbrio elementar. De acordo com esse princípio, há um alinhamento natural de elementos, do mais denso para o menos denso: da terra para a água, para o fogo e para o ar.

Como estamos começando a ver, a mão possui múltiplas divisões elementares que oferecem muitas oportunidades para o equilíbrio. Logo mais, voltaremos à palma para examinar as linhas, mas, por enquanto, focaremos apenas nos dedos.

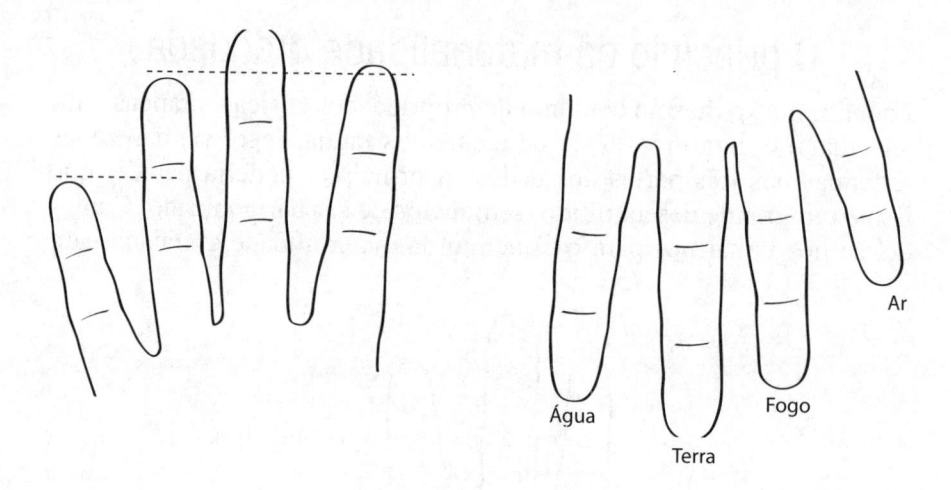

Figura 8.4. O comprimento relativo dos dedos ecoa o princípio da materialidade graduada.

O princípio da materialidade graduada também é evidente no comprimento relativo dos dedos. Em média, o dedo médio é o maior. O dedo indicador vem em seguida, somente um pouco mais comprido do que o dedo anular. O dedo mindinho, em média, chega à segunda divisão do dedo anular. Visto que, em geral, andamos com os braços para baixo, percebemos que o princípio da materialidade graduada é evidente aqui, na ordem dos elementos que se relacionam aos dedos.

Introdução aos dedos

As informações provenientes do formato da mão, dos quadrantes e dos montes revelam as estruturas de nossas qualidades mentais, emocionais e instintivas. Os dedos são mais pessoais e revelam nossas qualidades individuais características. Em um nível sublime, os "dedos simbolizam e descrevem cinco canais específicos de consciência, por meio dos quais a humanidade interpreta suas experiências".[90]

Algumas das coisas que podemos perceber de início são as características gerais, como o comprimento e a grossura dos dedos. Essas características devem ser consideradas em relação à mão. Por exemplo, para determinarmos se um dedo é longo ou curto, temos de compará-lo ao comprimento da palma. Dedos que têm, aproximadamente, três quartos do comprimento da palma são considerados compridos.

---

90. Tomio, *Chinese Hand Analysis*, p. 69.

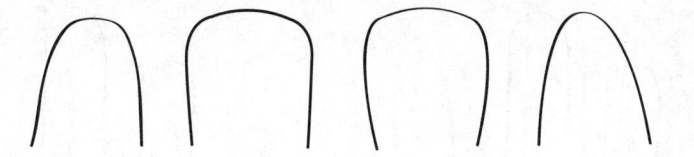

Figura 8.5. Tipos elementares das pontas dos dedos. Da esquerda para a direita: cônica, quadrada, espatulada e pontuda.

Curtos, é claro, são aqueles menores do que três quartos. Essas e outras classificações gerais e suas associações básicas com características individuais estão a seguir:

Comprimento:	Longo – paciente; gosta de trabalhos detalhados
	Curto – confia na intuição
Largura:	Grosso – gosta de prazer e luxúria
	Fino – idealista
Articulações:	Nodosas – prefere a exatidão
	Lisas – intuição muito desenvolvida

Além disso, as quatro classificações elementares para as pontas dos dedos e seus elementos correspondentes são: *cônica*, ar; *quadrada*, terra; *espatulada*, fogo; e *pontuda*, água (fig. 8.5).

Informações específicas sobre essas classificações no que se refere a cada dedo serão contempladas em capítulos posteriores, já que cada dedo tem sua própria importância.

O arco dos dedos

A posição do dedo descreve o nível em que ele está ligado à palma. Mantenha sua mão erguida, com a palma virada para você e os dedos apontados para cima. Em geral, o dedo médio é o que está posicionado em um nível mais alto. Assim como ocorre com o comprimento relativo do dedo, a ordem de altura da posição mais alta (mais comprido) para a mais baixa (mais curto) é: médio, indicador, anular e mindinho. O arco formado pela posição de todos os cinco pode se expressar em termos elementares e interpretado da seguinte forma:

O arco de ar (fig. 8.6a) forma uma curva suave e é o arco mais comum.[91] O ar (dedo mindinho) é a posição mais baixa, a água (indi-

---

91. Ibid., p. 72.

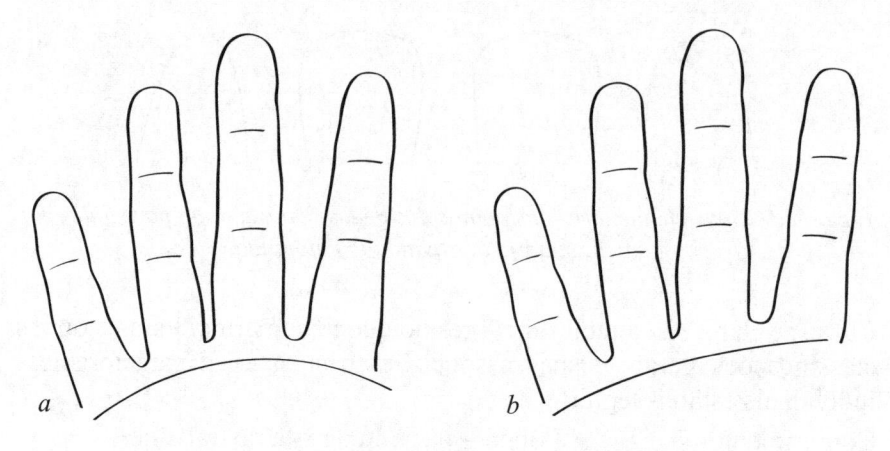

Figura 8.6. O arco de ar à esquerda e o arco de fogo à direita.

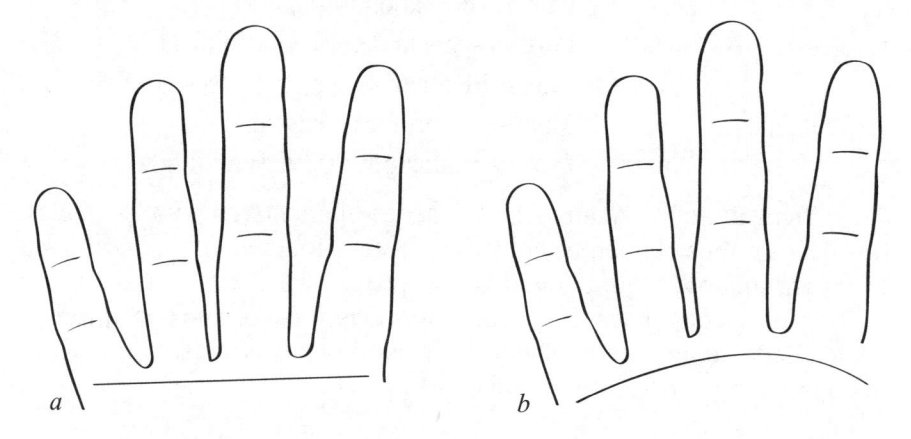

Figura 8.7. O arco de terra à esquerda e o arco de água à direita.

cador) e o fogo (anular) são praticamente iguais e a terra (médio) é a mais alta. Isso demonstra que a individualidade e a expressão artística se equilibram pela prudência.

O arco de fogo (fig. 8.6b) pode se erguer ou decair no dedo de água (indicador) e é praticamente linear no lado oposto, nos dedos de ar e fogo (mindinho e anular). Isso demonstra uma tendência forte em alcançar objetivos.

O arco de terra (fig. 8.7a) é praticamente uma linha reta, resultante do fato de o dedo de terra (médio) estar em uma posição mais baixa do que a usual. Isso indica que a pessoa se encontra firmemente no mundo físico e material.

Um dos arcos de água, assim como o arco de terra, não parece um arco. Ao contrário, ele traça um ângulo ascendente do dedo mindinho ao dedo indicador. Em outra variação, a posição do dedo de água (indicador) pode estar tão baixa quanto ou até um pouco mais baixa do que a do dedo mindinho (fig. 8.7b). Ambos os arcos indicam emoções e pensamentos ativos.

É essencial examinar as duas mãos e comparar qualquer diferença entre os arcos. Assim como em outros aspectos da mão, a mão dominante mostrará onde estamos no momento e a não dominante mostrará de onde viemos.

Um dedo, com qualquer outro nome

Os nomes de cada dedo remontam a 616 d.C, quando Aethelbert, o rei de Kent, Inglaterra, criou leis para compensar as pessoas que perdessem seus dedos e polegares. Os reis Alfred da Inglaterra e Canuto da Dinamarca também tinham nomes para especificar cada dedo, com os mesmos fins.[92] Ao longo dos séculos, alguns nomes se tornaram obscuros, mas outros ainda fazem sentido. Alguns dos vários nomes incluíam:

Indicador: dedo dianteiro, dedo-foice, *demonstratorius*

Médio: *midlestafinger*,* dedo do bobo, impudico

Anular: ouro, parasita, médico

Mindinho: dedo mínimo, *auriculares* (utilizado para limpar as orelhas)[93]

Polegar: *duma, pollex*

Na bem conhecida cantiga infantil, os dedos são chamados de mata-piolhos, fura-bolo, pai-de-todos, seu-vizinho e dedo-mindinho. Como os nomes, os dedos têm muitos traços e personalidades associados a eles. Para nosso objetivo, alguns aspectos gerais com os quais trabalharemos:

Indicador: eu, autoestima, intuição

Médio: responsabilidade, *insight*, sabedoria

Anular: criatividade, satisfação pessoal, relacionamento

Mindinho: comunicação, conhecimento, inspiração

Polegar: espiritualidade, forças e fraquezas psicológicas

---

92. Napier, *Hands*, p. 37.
93. Graves, *White Goddess*, p. 196.
*N.T.: Dedo médio em inglês arcaico.

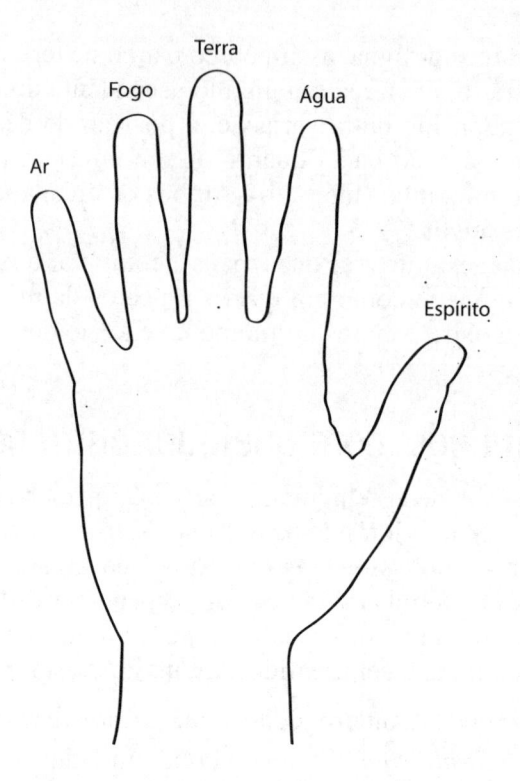

Figura 8.8. Os dedos e seus respectivos elementos.

De quatro a cinco elementos

Carl Jung percebeu que os quatro elementos são "um equivalente simbólico das quatro funções básicas da consciência".[94] Da mesma forma, nossos dedos funcionam como um equivalente simbólico dos quatro elementos. Agora, ao tratarmos do polegar, voltamos à ideia dos cinco elementos de Aristóteles, sendo o quinto, o espírito. De acordo com a autora Deborah Lipp, ele acreditava que o éter era "o que compunha os céus".[95] Na Índia, a palavra em sânscrito para éter é *akasha*.

Em nosso trabalho energético, o polegar representa o espírito e a espiritualidade. O polegar se distancia dos outros dedos, que se associam aos quatro elementos básicos.

Os elementos que se associam aos dedos e ao polegar variam de cultura para cultura. O sistema indiano aiurvédico de saúde e cura designa os elementos, partindo do polegar para o dedo mindinho, res-

---

94. Jung, *Mysterium Coniunctionis*, p. 210.
95. Lipp, *Way of Four*, p. 15.

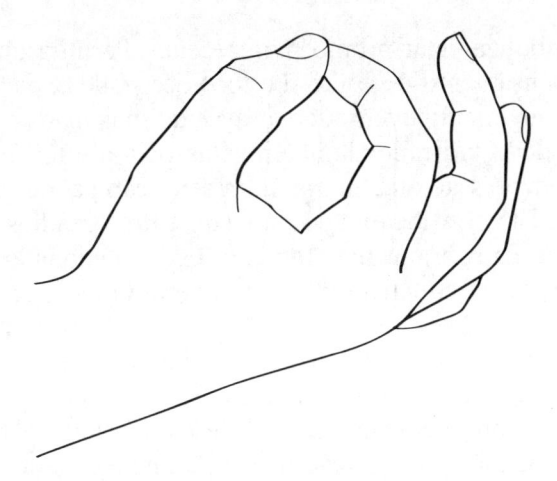

Figura 8.9. O Jnana Mudra.

pectivamente como: fogo, ar, éter/céus, terra e água.[96] A designação de elementos utilizada neste livro deriva do sistema chinês de análise das mãos, que associa o espírito, a água, a terra, o fogo e o ar, partindo do polegar ao dedo mindinho (fig. 8.8).[97] Isso difere dos cinco elementos clássicos utilizados no Feng Shui e na Medicina Tradicional Chinesa.

Prefiro essa sequência de elementos por duas razões: em primeiro lugar, os elementos dos dedos nessa ordem correspondem aos seus equivalentes astrológicos ocidentais, que regem os montes que estão sob os dedos. Em segundo lugar, quando utilizamos o Jnana Mudra (fig. 8.9), fazemos um gesto de consciência para nos conectarmos com a consciência divina/cósmica. Esse gesto simboliza a faísca de vida que inflama nossas almas, a faísca de inspiração e consciência representada pelo polegar. É uma forma de despertar que pode ocorrer por meio do poder que reside em nossas mãos.

Prática: o Jnana Mudra

Sente-se em uma cadeira ou no chão, em posição confortável. Respire profundamente algumas vezes, cada vez mais profundamente, enquanto permite que seu corpo libere toda a tensão e sua mente se esvazie das preocupações diárias. Quando se sentir pronto, una suavemente as pontas de seus polegares com as pontas dos indicadores, formando círculos. Não aperte, somente toque com leveza. Repouse as costas das mãos no colo, com os outros dedos relaxados, apontados para cima.

---
96. Hirschi, Mudras, p. 30.
97. Tomio, *Chinese Hand Analysis*, p. 69.

Isso simboliza estar pronto para receber. Permita que sua mente repouse no pensamento de estar aberto. Você pode experimentar uma sensação de movimento energético através de suas mãos ou do seu corpo. Já que o dedo indicador também se associa à intuição, você pode sentir uma leve pressão ou alguma outra sensação na área do chacra do terceiro olho. Ele está localizado na testa, entre os olhos e um pouco acima da linha da sobrancelha. Também está relacionado à intuição e se movimenta com frequência, de acordo com o movimento da energia universal.

Sente-se com esse mudra pelo tempo que for confortável. Não espere nem tente forçar que algo aconteça. Simplesmente permita que as coisas sejam ou que ocorram. Quando estiver pronto para encerrar a sessão, una suas mãos na posição de oração, na frente do coração. Expresse gratidão por qualquer coisa que tiver experimentado e, então, se dê alguns minutos para retornar às suas atividades diárias.

9

O Dedo Indicador

O dedo indicador é o dedo de água, associado à emoção, à mudança e à criatividade. É o mais expressivo para comunicar o que queremos. Como vimos no capítulo anterior, o nome em latim do rei Canuto para esse dedo era *demonstratorius*, com o qual demonstramos nossas ideias e desejos. Antes mesmo de as crianças desenvolverem sua linguagem, elas parecem saber, intuitivamente, o poder que o dedo indicador possui para ajudá-las a interagir com o mundo. Esse dedo é um explorador e transmite a sensação tátil de nosso ambiente para que o cérebro interprete. Ele conecta nossos mundos interior e exterior e representa "nossa percepção da realidade".[98] O dedo indicador é o único que pode ficar ereto por conta própria, os outros não são tão independentes.

Cada dedo possui qualidades dos montes nos quais se sustenta. O dedo indicador reflete autoridade, liderança, proteção e a habilidade de guiar os outros. Seus principais deveres são a proteção e a orientação,[99] o que também se relaciona a um forte sentido de responsabilidade em relação às crianças e aos animais. Muitas pessoas com um dedo indicador bem desenvolvido e equilibrado tendem a ser professores e possuem forte "poder de concentração", assim como "capacidade de atenção total".[100] Isso, claro, é essencial para qualquer um interagir de forma bem-sucedida e trabalhar com crianças e/ou animais.

Assim como o Monte de Júpiter no qual se sustenta, o dedo indicador, também conhecido como o dedo de Júpiter ou de água, relaciona-se com a autoconfiança e com a ambição, e também com uma atitude segura diante da vida. Outro nome, o de dedo do músico[101] (pense em um

---

98. Hipskind Collins, *Hand From A to Z*, p. 79.
99. Ibid.
100. Ibid.
101. Levine, *Palmistry*, p. 52.

violino ou em um piano), origina-se de um alto nível de confiança e de criatividade.

Assim como o monte no qual se apoia, os atributos desse dedo se associam ao ego e à autoimagem. Isso se relaciona à nossa *persona* exterior e como gostaríamos que os outros nos vissem. Um exterior tranquilo é uma fachada bem adaptada que disfarça qualquer tensão nervosa, algo que surge com frequência, por causa do fardo das responsabilidades da liderança. Não é raro que pessoas com esse papel vivam em negação no que se refere aos desequilíbrios de suas vidas. É fácil dar bons conselhos aos outros, porém mais difícil é segui-los. Outro aspecto do dedo indicador é o controle. Quando há um desequilíbrio excessivo, ele se manifesta como um indivíduo extremamente dominador.

O dedo indicador relaciona-se com características necessárias para atuar na vida diária. Primeiramente, há a adaptabilidade, a observação, a percepção e a autoafirmação.[102] Essas são qualidades oriundas tanto do arquétipo de água quanto do Monte de Júpiter. Em conjunto com uma atitude positiva, esse dedo revela o quanto somos bem adaptados à vida. Em outras palavras, estamos fazendo o que estamos destinados a fazer? Essa adaptação às situações da vida permite-nos encontrar o caminho mais adequado e que nos faça felizes.

A preocupação com o ambiente decorre dos poderes de percepção e de observação das pessoas, o que lhes coloca em sintonia com qualquer coisa que estiver acontecendo ao seu redor. Em termos estruturais, isso nos leva de volta ao fato de que o dedo indicador é um explorador. Boa parte dessa exploração e desse controle é comandada em conjunto com o polegar. O relacionamento estrutural entre esses dois dedos baseia-se no fato de que o dedo indicador se relaciona com desejos e metas, enquanto o polegar se refere à quantidade de energia necessária para conseguir o que desejamos.[103]

Quando estamos em equilíbrio, podemos ser assertivos e fortes, sem pisar nas outras pessoas. Esse poder vem de nosso interior e é o poder pessoal que guia nosso caminho na vida. Usar um anel no dedo indicador acentua sua associação a poder e controle, e emana um sinal de autoridade – pense em reis e nos papas.[104] É claro que usar um anel nesse dedo também é um modo de passar a *impressão* de autoridade e de controle.

---

102. Gettings, *Book of The Hand*, p. 92.
103. Ibid., p. 89.
104. Saint-Germain, *Runic Palmistry*, p. 30.

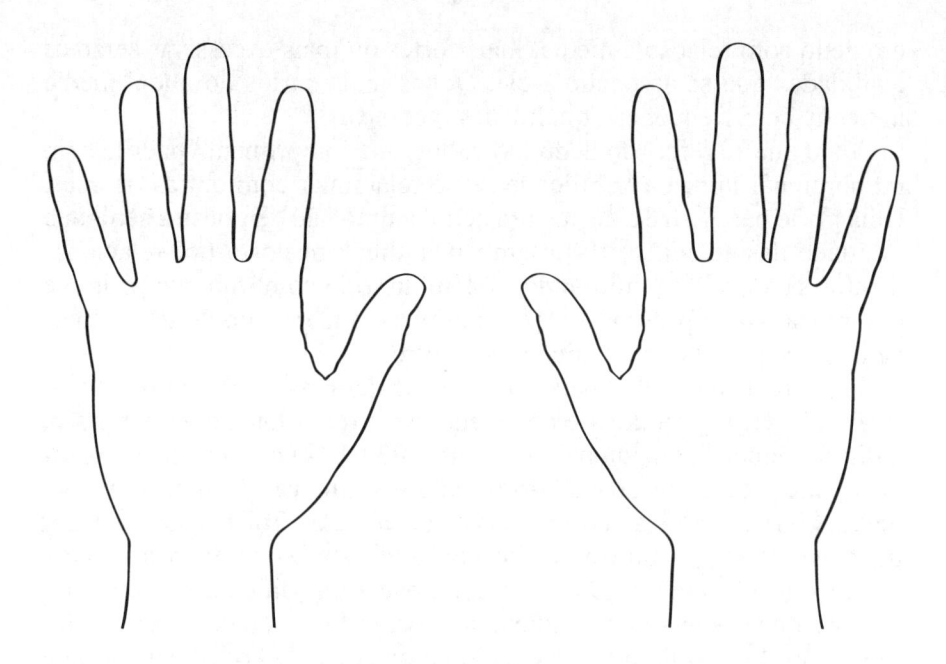

Figura 9.1. Mãos ilustrando um espaço moderado entre os dedos.

Espaço e comprimento

O espaço entre os dedos é um fator a ser examinado. Isso pode ser melhor determinado ao se sentar em frente a uma mesa e então colocar suas mãos sobre ela, como se fosse levantar. Um espaço grande entre o indicador e o polegar denota uma natureza independente e um desgosto por ser reprimido ou contido de alguma maneira.[105]

Um espaço grande entre o indicador e o dedo médio também revela a habilidade de pensar de forma independente. Assim como em outras áreas, compare as duas mãos. Se a mão dominante tiver um espaço maior, significa que a pessoa está pensando mais em si mesma do que pensava no passado. Se, ao contrário, a mão não dominante possuir um espaço maior, pode ser necessário analisar o que está inibindo sua independência e quais são as razões para se submeter aos outros.

Algo que é claramente perceptível no que se refere aos dedos é seu comprimento. No último capítulo, vimos que o comprimento médio dos dedos, em comparação uns com os outros, do mais longo para o mais curto, inicia-se no dedo médio, depois indicador, anular e mindinho, respectivamente. Em geral, diz-se que, quanto mais comprido for

---
105. Phanos, *Elements of Hand-Reading*, p. 24.

um dedo com relação à média, mais fortes ou mais excessivas serão as qualidades que se associam a ele. Dedos mais curtos do que a média indicam, com frequência, qualidades recessivas.[106]

No que se refere ao dedo indicador, um comprimento padrão bem proporcional indica a habilidade de se relacionar com outras pessoas. Uma razão para isso é a de que um dedo padrão não demonstra nenhuma "vaidade desmedida".[107] Isso também indica um gosto por relacionamentos saudáveis e equilibrados. Além disso, o comprimento padrão é um indicativo de pessoas ativas e intuitivas, que gostam de seus papéis de liderança por poderem ajudar aos outros.

Um dedo indicador mais comprido do que a média da mão demonstra uma energia produtiva e obstinada. Se o dedo for reto e comprido, indicará alguém excepcionalmente prestativo, o que se encaixa nas características de proteção e de orientação. Um indicador comprido, com polegar forte, significa que a pessoa alcança metas. Todavia, um polegar fraco em relação a um indicador comprido simboliza falta de apoio. Como consequência, essa pessoa pode encontrar dificuldades em conseguir o que deseja (com o indicador apontando para o que é desejado). Em razão do fato de esse obstáculo se originar do poder e da atitude pessoais, a habilidade da pessoa para alterar isso está em seu interior.

Como percebemos com o Monte de Júpiter, o excesso traz qualidades pouco desejáveis. Um dedo indicador muito comprido pode indicar uma personalidade extremamente controladora e dominadora. Vamos analisar o dedo indicador em relação aos dedos médio e anular. Se ele competir com o dedo médio em comprimento, há uma propensão para a pessoa ser uma forte líder. É alguém que corre atrás do que quer e exala autoridade e confiança, mas, como já foi mencionado, há uma atração por impor seu poder sobre os outros. Um dedo indicador com o mesmo comprimento do dedo anular demonstra que o ego está equilibrado. Essa pessoa é consciente e pode ser afirmativa, em vez de agressiva. Os traços de professor e guia aparecem aqui, pois isso também indica alguém que busca conhecimento, que, quando encontrado, é prontamente compartilhado com outras pessoas. No que se refere ao mundo dos negócios, há potencial para acumular grandes riquezas. Contudo, isso pode ser influenciado negativamente pela tendência a fazer apostas e propensão a desenvolver um comportamento imprudente.

Um dedo indicador com o mesmo comprimento do dedo anular pode sinalizar alguém que odeia desistir ou ceder – controle e poder. Vamos falar a verdade: a mudança pode assustar, pois, em geral, vemos

---

106. Benham, *Laws*, p. 99.
107. Gettings, *Book of The Hand*, p. 90.

o desconhecido como algo que não podemos controlar.[108] Quando comparamos os dois dedos indicadores, um dedo mais comprido na mão dominante significa que problemas com a autoestima e com o amor próprio foram superados.[109] O inverso indica algumas questões nessa área da vida que precisam ser resolvidas.

Um dedo indicador curto – mais curto do que o dedo anular – pode significar que a pessoa foge de papéis de liderança, mesmo que ele ou ela tenha potencial para liderar. Com frequência, isso se relaciona a questões de autoestima e à falta de entusiasmo por assumir responsabilidades. Atormentada por medos, essa pessoa tem dificuldade para atingir suas metas. Além disso, uma tendência a colocar energia demais no mundo dos sonhos, em vez de na vida real, pode inibir o desenvolvimento de relacionamentos pessoais significativos.

Se o dedo indicador for muito mais curto do que o dedo anular, pode haver um complexo de inferioridade que mantém a pessoa congelada pelo medo, principalmente em situações compreendidas como imutáveis, como um relacionamento nocivo ou um trabalho ruim. A autoimagem negativa pode criar bloqueios temporários que se tornam sérios inibidores. Essa situação, na qual a pessoa simplesmente acredita que não possui meios para controlar sua vida, é o extremo oposto da personalidade dominadora.

O complexo de inferioridade pode ser disfarçado e superado com força de vontade. "Extrovertidos introvertidos"[110] podem ser tímidos ou não ter autoconfiança, mas encontram a força para superar essas questões e, assim, alcançar suas ambições. O dedo indicador curto pode sinalizar uma necessidade de perseguir e alcançar metas.

Outro traço de alguém com o dedo indicador curto é o extremo cuidado com os outros. Claro que isso é um aspecto positivo, contanto que não derive de uma autoestima baixa.

Reto, torto, curvo ou inclinado

A próxima característica que consideraremos é se o dedo é reto, torto, curvo ou inclinado quando está em repouso. Quando levantamos nossas mãos – com as pontas dos dedos apontadas para cima – podemos verificar essas variações. Mantenha a mão relaxada – sem a rígida saudação militar. Um dedo indicador bastante reto pertence a uma pessoa respeitável e confiante com boa autoestima. Sua percepção do mundo

---
108. Saint-Germain, *Runic Palmistry*, p. 35.
109. Levine, *Palmistry*, p. 31.
110. Ibid., p. 53.

e das ações é honesta. Um dedo indicador reto também demonstra que a pessoa possui bons poderes de observação e pode perceber o que está acontecendo com muita rapidez. Um dedo que se inclina para o polegar mostra o desejo por independência. Isso pode significar uma independência física, mental, financeira ou emocional.

Um dedo indicador torto revela alguém um pouco lento para compreender as nuances de uma situação. Se o dedo for anormalmente curvado ou torto, a visão de mundo dessa pessoa será diferente da visão da maioria das pessoas. Isso também pode indicar um forte individualismo. Se ele se curva levemente em direção ao dedo médio, a pessoa pode ser pouco extrovertida, com tendência a se afastar de eventos externos. De acordo com Fred Gettings, qualquer tipo de curva indica falta de liberdade em algum nível.[111]

Quando o dedo todo se curva em direção ao dedo médio, pode haver falta de segurança e necessidade de reafirmação. Afinal, o elemento do dedo médio é a terra e ela oferece estabilidade. Um dedo indicador muito torto ou curvado nessa direção indica que a pessoa pode ser possessiva, o que, de certa forma, é uma questão de insegurança. A curva muito leve indica um colecionador.

Quando o dedo indicador se inclina em direção ao dedo médio, pode haver um desejo por coisas materiais que se origina de necessidades não atendidas do passado, e não de ganância ou insegurança. Isso também pode estar associado a carências emocionais comuns. Pode estar ligado à questão de não tomar decisões de forma independente, indicando uma vontade de abrir mão do poder e controle pessoais. Uma condição de carência pode estar associada à falta de autoconfiança. Além disso, a inclinação em direção ao dedo médio pode demonstrar respeito pela tradição.[112] Em contraste, quando os outros dedos se inclinam em direção a um dedo indicador reto (siga o líder), significa que a pessoa possui grandes ambições.[113]

As articulações e a ponta do dedo

Outras características a serem observadas são as articulações – se são lisas ou nodosas. O fato de ser lisa não se refere à textura – simplesmente significa que a articulação não é protuberante. Um dedo indicador com articulações lisas indica uma visão intuitiva do mundo. O dedo indicador está associado à fé e à crença religiosa, enquanto articulações lisas

---
111. Gettings, *Book of The Hand*, p. 92.
112. Tomio, *Chinese Hand Analysis*, p. 71.
113. Phanos, *Elements of Hand-Reading*, p. 25.

demonstram atração pelo lado místico da religião. Juntas nodosas demonstram o desejo por uma abordagem filosófica da religião. Em geral, articulações nodosas no dedo indicador demonstram uma abordagem analítica e metódica da vida. Essas pessoas gostam de passar o tempo pensando nas coisas. Quando fazem isso, desenvolvem fortes crenças e convicções que não são modificadas facilmente.

Por fim, chegamos às pontas dos dedos. A ponta em formato cônico possui o elemento ar. No dedo indicador, indica um alto grau de adaptabilidade para as circunstâncias da vida, mais do que a ponta quadrada (terra), que necessita de ordem e de mudanças lentas. A ponta quadrada demonstra uma apreciação pelo mundo exterior e uma necessidade de canalizar a criatividade para a natureza. Uma ponta espatulada indica uma energia de fogo focada em atingir metas. A ponta pontuda (água) fortalece as crenças religiosas e indica uma intuição muito desenvolvida.

As partes

Como vimos no último capítulo, cada parte do dedo possui seu próprio conjunto de aspectos relacionados às energias mental, prática e física. A parte mais comprida indica a energia predominante. O comprimento se relaciona à força das qualidades associadas, enquanto a grossura indica uma propensão ao excesso dessas qualidades. Assim como o comprimento do dedo é relativo ao da palma, o comprimento médio de uma parte do dedo é relativo ao comprimento de cada dedo.

A parte superior, que inclui a ponta do dedo, representa a dignidade e a necessidade de contemplação. Quando essa parte possui um comprimento médio, demonstra respeito por crenças religiosas e o dom de uma forte intuição. Quando ela é mais comprida do que as outras partes, as habilidades intelectuais e intuitivas são utilizadas para guiar, ensinar e liderar. Quando é comprida demais e desproporcional, demonstra uma propensão para superstição e crenças equivocadas.

A parte do meio representa a ambição e aptidão para os negócios. Quando é proporcional em relação às outras, o orgulho e a ambição estão em cheque. Quando ela é a parte mais comprida, as ambições são práticas e canalizadas em negócios bem-sucedidos. Quando é desproporcional, a vaidade comanda e, como consequência, oportunidades econômicas podem ser prejudicadas.

A parte inferior representa o controle e o poder. Quando o comprimento é normal, suas características se refletem no controle sobre a própria vida por meio do desenvolvimento do poder pessoal. Quando

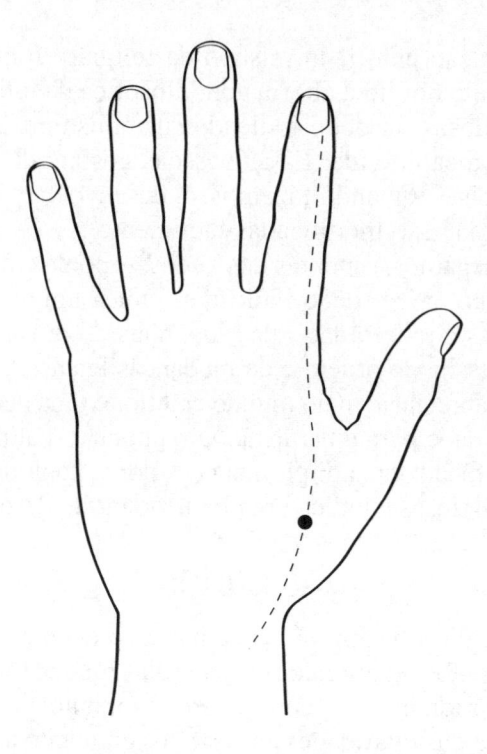

Figura 9.2. O meridiano energético do dedo indicador mostrando o ponto IG4, utilizado para tratar dores de cabeça frontais.

essa é a parte mais comprida, tais qualidades são saudáveis e servem de apoio para o papel de liderança. Se essa parte está desequilibrada, a ambição da parte do meio se transforma em um desejo de poder sobre os outros e pela autogratificação. No que concerne à saúde, quando essa parte tem pouca firmeza, problemas com a garganta ou com os nervos podem surgir.[114]

Metodologias de cura e energia relacionadas ao dedo indicador

Medicina Tradicional Chinesa. O meridiano energético do intestino grosso começa ao longo da unha do dedo indicador (em direção ao polegar), segue para o topo dos ombros e termina ao lado do nariz. É utilizado para tratar de problemas digestivos e urinários, assim como febre e dores abdominais. Além disso, um ponto específico na mão (IG4) é utilizado

---
114. Levine, *Palmistry*, p. 102.

Figura 9.3. A primeira posição de mudra com o dedo indicador.

para tratar dores de cabeça frontais (fig. 9.2). A maioria dos meridianos energéticos casa com seu correspondente do outro lado do corpo.

Reflexologia. O dedo indicador é usado para tratar os olhos. A polpa do dedo está associada aos seios da face, à cabeça e ao cérebro.

Acupressão. O dedo indicador é utilizado para tratar o abdome.

Chacra. O dedo indicador está associado ao chacra do coração.

Prática: o mudra do dedo indicador

Comece ativando os chacras da mão. Quando sentir a energia fluindo, entrelace seus dedos com os dedos indicadores apontando para cima. As polpas dos polegares estarão juntas, com as pontas apontando para baixo (veja a fig. 9.3). Mantenha o gesto por algumas respirações e então dobre os polegares para dentro das palmas, com cada polegar repousando no centro da palma oposta e tocando a área do chacra.

Abaixe suas mãos até o colo enquanto medita sobre as informações obtidas por sua análise do dedo indicador. Apesar de alguns aspectos e qualidades pouco desejadas terem sido revelados, aceite-os como parte do que você é agora e saiba que tem o poder para fazer mudanças na sua vida.

Concentre-se nas características positivas que foram reveladas e repita algumas frases. Por exemplo: "Eu posso ser tímido, mas consigo ser assertivo e seguir meu chamado na vida", ou "Eu sou forte, independente e tenho controle sobre minha vida", ou "Eu não permitirei mais que [meu ego, outras pessoas, preencha como preferir] controle(m) minha vida". Use seu tempo para criar uma frase que seja bastante significativa para você. Creia que ela vá mudar e evoluir com o tempo, e permita isso.

Após ter pronunciado sua afirmação, relaxe as mãos no colo, com as palmas viradas para cima. Sorria e saiba que você está no controle de sua vida. Quando estiver pronto para encerrar a prática, desative os chacras da palma, como foi descrito no capítulo 4.

10

O Dedo Médio

O dedo médio se ergue do Monte de Saturno e, naturalmente, é também chamado dedo de Saturno. Seu elemento arquetípico é a terra e ele se divide entre os lados consciente e subconsciente da mão. Na mitologia, Saturno era o filho de Gaia, a Grande Deusa Mãe da Terra.[115] Saturno era associado a uma era de ouro de tranquilidade, durante a qual ele concedeu os dons da harmonia e da praticidade da humanidade. Algumas das características associadas a esse dedo e ao monte parecem quase contraditórias, dada sua conexão com esse deus antigo.

Diz-se que as pessoas de Saturno possuem um aspecto às vezes sombrio, melancólico ou até mórbido e com frequência são dadas à melancolia e à depressão. As razões para isso são encontradas na localização do dedo, entre as mentes consciente e subconsciente. Como uma "referência entre o *ego* e o *id*",[116] está submetido aos puxões e empurrões das questões morais e é uma testemunha do turbilhão interno que pode ocorrer. Questionando e examinando continuamente suas crenças morais, as pessoas com um dedo médio forte querem ter certeza de que sempre reagirão às situações da melhor maneira possível. Por causa disso, suas antenas estão sempre ligadas para que fiquem sintonizadas com o que está acontecendo ao seu redor.

Ser um guardião da moral e dos valores é uma responsabilidade séria para alguém que se esforça para ser cuidadoso em desenvolver e manter uma filosofia justa de vida. É também um talento único, que nem sempre encontra um canal apropriado, tampouco uma audiência compreensiva. Por isso, essa pessoa pode se deparar com períodos de depressão por causa de dilemas morais ou da falta de habilidade para utilizar talentos únicos e com frequência não reconhecidos. Contudo, atravessar a depressão e emergir intacto oferece um novo panorama

---
115. Gettings, *Book of The Hand*, p. 97.
116. Ibid.

para a vida. Provavelmente, essa pessoa não se tornará um tipo de indivíduo animado e alegre, mas, por meio de sua própria dor, uma nova apreciação do mundo se desenvolverá. Ter sobrevivido à dor pessoal pode resultar na empatia profunda e duradoura pelos outros.

Permanecer, de forma bem-sucedida, na fronteira entre o consciente e o subconsciente provê um forte sentido de poder e de intenção interiores, algo que ocorre quando esse dedo é bem desenvolvido. Essa pessoa é uma pensadora profunda, cuja sabedoria e senso de equilíbrio guiam-na na integração das vidas interior e exterior.[117] A força obtida disso produz estabilidade emocional e a oportunidade para uma rica jornada de autodescoberta. Equilíbrio e estabilidade emocional também são características do arquétipo de terra.

William Benham chama o dedo médio de "roda do equilíbrio"[118] da personalidade. Graças à sua prudência, ele pode controlar o excesso dos outros dedos. Pode impedir que os impulsos fujam do controle ou que um entusiasmo desmedido resulte em combustão. Como podemos ver, o comprimento desse dedo e sua localização o colocam em um papel de sustentáculo.

Ao dedo médio também está associada uma abordagem conservadora da vida. Por ele trazer prudência (para evitar que nos afundemos), suas características são às vezes interpretadas como sombrias. Esse é um termo que rodeia continuamente Saturno. Aqui não há pessoas arrebatadas pela frivolidade. Além disso, o bom senso e a cautela são características que se originam do elemento terra.

Pelo fato de as pessoas de Saturno tenderem a ser estudiosas e gostarem de ter tempo para pensar, analisar e trabalhar metodicamente, elas gostam de passar um tempo sozinhas. Assim, quem não compreende que estar sozinho pode ser uma experiência agradável, irá considerá-los antissociais. Talvez seja por isso que usar um anel no dedo médio tem sido interpretado como um sinal de que a pessoa quer ficar sozinha. O leitor de mão profissional Jon Saint-Germain observou que "muitas pessoas usam anéis de ex-namorados nesse dedo".[119] Essa pode ser uma pergunta do tipo "quem nasceu primeiro, o ovo ou a galinha?": essas pessoas estão sozinhas simplesmente porque terminaram com seus namorados ou elas terminaram porque preferem estar sozinhas? Deixaremos isso para que uma pessoa analítica de Saturno resolva.

---

117. Hipskind Collins, *Hand From A to Z*, p. 81.
118. Benham, *Laws*, p. 220.
119. Saint-Germain, *Runic Palmistry*, p. 40.

Espaço e comprimento

Um espaço grande entre os dedos médio e indicador demonstra que essa pessoa pode pensar e racionalizar por conta própria. Um espaço pequeno entre esses dedos indica que ela pode não estar totalmente aberta para novas ideias e conceitos.

Se o espaço entre os dedos médio e anular for largo, significa que essas pessoas tendem a ser seguras e ativas. Sua atitude a respeito da vida pode ser alegre e, em geral, elas não se preocupam com o que o futuro poderá trazer. Esse tipo de confiança pessoal pode vir de uma segurança financeira, mas, em geral, suas perspectivas e suas crenças possuem um peso maior do que o talão de cheques. Sua segurança pode vir da sabedoria interior – elas "sabem" que sempre conseguirão manter os pés no chão e têm fé de que o Universo proverá suas necessidades. Além disso, ter muito dinheiro e símbolos de *status* não é o que a vida representa para elas.

O espaço pequeno entre esses dedos revela justamente o oposto. Essa pessoa possui necessidade de segurança financeira e sempre se preocupa com o futuro. Quando há praticamente nenhum espaço entre estes dedos, a pessoa tende a evitar gastar dinheiro, a não ser que seja absolutamente necessário.

Também é importante comparar os espaços de uma mão com a outra. Quando a mão dominante possui um espaço maior entre os dedos indicador e médio, a pessoa é capaz e prefere pensar de forma independente. Se o contrário ocorrer, teremos alguém que delega aos outros as tomadas de decisão. Perspectivas financeiras são indicadas pelo espaço entre os dedos médio e anular. Se o espaço da mão dominante for maior, as finanças estão melhorando. A pessoa pode tender a gastar mais porque há mais para gastar. Quando o contrário acontece, pode ser que a pessoa se preocupe com uma crise econômica e gaste muito pouco.

No que concerne ao comprimento, o dedo médio é, em geral, o mais longo. No passado, acreditava-se que um comprimento dentro da média transmitia prudência, um comprimento muito longo, morbidez, e um muito curto, frivolidade, desonestidade e histeria.[120] Estes passaram a representar extremos singulares.

Um comprimento médio (ou seja, proporcional ao dos outros dedos) implica equilíbrio e autocontrole. Também se associa ao senso de dever. Contudo, um senso de responsabilidade exagerado pode resultar em uma percepção séria demais de si mesmo e o potencial

---
120. Phanos, *Elements of Hand-Reading*, p. 44.

para preocupações indevidas. Um dedo médio comprido e reto também se associa à autodisciplina e à moralidade. Em um nível básico, isso concerne ao certo e ao errado. De acordo com Jon Saint-Germain, é bem comum encontrar juízes e pessoas que aplicam a lei com dedos médios compridos e retos.[121]

Um dedo médio comprido também se relaciona ao intelecto. Quando o dedo é excepcionalmente comprido, o intelecto substitui a necessidade de interação social. Em outras palavras, a pessoa pode ser um erudito. Outras qualidades associadas ao dedo médio comprido retratam alguém consciente, circunspecto, instruído e seguro. Essa pessoa é séria em todos os empreendimentos, focada no trabalho e, com frequência, uma especialista. Um dedo médio comprido, mantido de maneira rígida, é reflexo de um temperamento inflexível e obstinado. Isso resulta na perspectiva binária: as coisas são vistas como pretas ou brancas, boas ou ruins.

Um dedo médio mais curto do que o padrão indica o uso da intuição acima do intelecto. Em geral, emocionalmente sensível e artística, essa pessoa pode ser bastante mutável e não convencional. Um dedo médio curto pode também indicar alguém com raciocínio rápido. A seriedade geralmente associada a Saturno não está presente aqui, fazendo com que essa pessoa pareça mais atraente. Um dedo médio curto pode também indicar tendência a um comportamento pouco prático.

O grau de imprudência pode ser encontrado por meio da comparação do dedo médio com o dedo anular. Um dedo médio mais curto do que o dedo anular pode indicar alguém que, às vezes, sucumbe a um comportamento temerário. Se o dedo médio for do mesmo comprimento do anular, a pessoa pode se arriscar. É importante ter em mente que se arriscar e ter um comportamento arriscado são coisas diferentes.

Um dedo médio excessivamente mais longo do que o dedo anular indica alguém que costuma ser arrebatado por humores sombrios. Um senso de depressão pode até interferir na criatividade e no sucesso. Um ponto interessante a ser observado é que o canal energético do dedo médio é utilizado para tratar a depressão na Medicina Tradicional Chinesa.

Em comparação com o dedo indicador, o dedo médio que for muito mais longo também indica alguém com ideias criativas, mas pouca ambição para fazer algo com elas. Um dedo médio de mesmo comprimento do indicador indica desejo pela fama e pela fortuna. Quando é muito mais curto do que o indicador, a pessoa pode possuir muita ambição, mas pouco foco para levá-la adiante.

---

121. Saint-Germain, *Runic Palmistry*, p. 40.

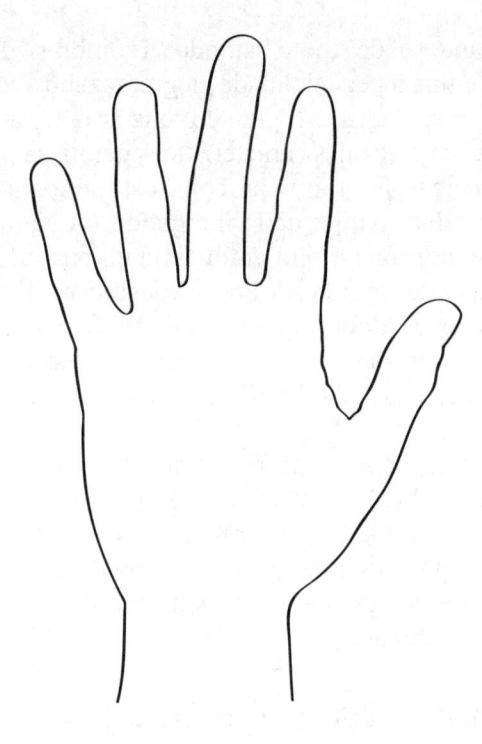

Figura 10.1. O dedo médio inclina-se em direção ao dedo indicador.

Reto, torto, curvo ou inclinado

O dedo médio está associado à moral pessoal, e a forma que assume em repouso pode ser reveladora: se formar uma leve curva em direção à palma, a pessoa está em processo de análise de seus valores. Quando o dedo não é curvado dessa forma, indica um conforto com o sistema de valores atual. Se for torto, pode indicar valores morais mais do que levemente enviesados. Um dedo médio curvo indica certa perspicácia.

No que se refere à saúde, se a parte superior se inclinar para o dedo anular, isso pode indicar uma predisposição a problemas intestinais.[122] Se o dedo for levemente curvo em direção ao dedo anular, a pessoa pode ser crítica consigo mesma. É possível que isso ocorra em tal nível que crie dificuldade em aceitar qualquer tipo de elogio.

Um dedo médio que se inclina em direção ao dedo anular possui características relacionadas ao lado sombrio da personalidade de Saturno. Uma teoria é a de que ele tende a suavizar as qualidades sombrias de

---
122. Gettings, *Book of The Hand*, p. 99.

Saturno – o brilhante sol de Apolo banindo as sombras. Outra perspectiva é a de que isso domina a personalidade alegre, fazendo com que a pessoa fique mais quieta e cuidadosa. O grau em que isso afeta a personalidade de Apolo depende da força das características gerais da pessoa.

Outra explicação para a melancolia está associada ao fato de o dedo médio se inclinar para o dedo indicador, o que dizem ser um sinal de dominação por uma figura autoritária no passado. A melancolia pode ser resultado de dúvidas sobre si mesmo ou do sentimento de que o futuro é incerto. A consequência disso é que a pessoa raramente se arrisca, o que, por sua vez, resulta em ser dominada ou contida. Pode ser uma situação do tipo "se ficar o bicho pega, se correr o bicho come".

Curiosamente, essa inclinação em direção ao dedo indicador pode também acentuar ambições representadas pelo dedo indicador, assim como fortalecer as qualidades de Júpiter. O motivo disso pode se originar das qualidades do dedo médio, como a sabedoria, o conhecimento e a seriedade. Esses três ingredientes podem impulsionar potencialmente qualquer nível de ambição.

As articulações e a ponta do dedo

No dedo médio, articulações nodosas (salientes) indicam fortes poderes de análise e racionalização. Isso complementa de forma bastante natural a busca pelo conhecimento e a atração pelas ciências. Contudo, isso pode fazer com que a pessoa pareça ainda mais séria. Articulações lisas sinalizam alguém mais inclinado a desenvolver talentos musicais e a agir de forma um pouco mais impulsiva. O lado sério e instruído é eclipsado por uma atitude tranquila, e há menos crises de depressão, ou nenhuma.

Se a ponta do dedo médio for pontuda, está associada à sensibilidade emocional. A ponta cônica ou mais redonda demonstra um sistema saudável e equilibrado de crenças religiosas. Contudo, Benham observou que, se essa é a única ponta cônica e todas as outras são quadradas ou espatuladas, o grau em que o dedo médio funciona como um sustentáculo reduz-se em seu papel como roda do equilíbrio.[123] Uma ponta quadrada indica criatividade canalizada em empreendimentos práticos (menos artísticos), como arquitetura ou engenharia.

Uma ponta do dedo médio espatulada acrescenta atividade (energia do fogo) e originalidade ao processo de pensamento. Também indica

---
123. Benham, *Laws*, p. 232.

uma personalidade mais social e extrovertida. O formato espatulado fortalece a roda do equilíbrio.

As partes

Quando as três partes do dedo médio são praticamente iguais e se torna difícil distinguir qual é a maior, temos professores inatos. Dotados de sabedoria pessoal, procuram sempre aprofundar seu conhecimento e gostam muito de compartilhar o que aprendem.

Uma parte superior maior do que as outras acentua a natureza estudiosa. Essas pessoas são pensadores que precisam de tempo e de espaço para se permitir alcançar níveis de sucesso.

Se o dedo médio tem uma parte do meio comprida, isso indica uma natureza investigativa que se une ao mundo natural. Como já foi observado nesse dedo, há a tendência para interesses por ciências, matemática e história. Como consequência, a pesquisa, o ensino e a agricultura são meios comuns para se ganhar a vida. Uma parte do meio excessivamente comprida pode sugerir dificuldades em decidir qual carreira seguir.

Quando a parte inferior é mais comprida do que as outras, há uma aptidão para finanças. Além disso, pode indicar uma natureza materialista ou um medo de gastar dinheiro. Se essa parte for excessivamente comprida, essas tendências podem variar de frugais a mesquinhas.

Metodologias de cura e energia relacionadas ao dedo médio

Medicina Tradicional Chinesa. O meridiano energético associado ao dedo médio é o pericárdio, também conhecido como envelope do coração. Ele começa no peito e termina ao lado da unha do dedo médio. É utilizado para tratar angina, náusea, vômitos e depressão. O oitavo ponto (CS8) desse canal energético está localizado no centro da palma ou muito perto dele e é utilizado para uma revitalização energética integral.

Reflexologia. Como o dedo indicador, o dedo médio é usado para tratar os olhos. Além disso, a polpa do dedo se associa aos seios da face, à cabeça e ao cérebro.

Acupressão. O dedo médio é usado para tratar a fadiga, assim como a pressão baixa e alta.

Chacras. O dedo médio está ligado ao quinto chacra, da garganta.

Prática: o mudra do dedo médio

Comece como nas outras práticas descritas nos capítulos anteriores, tomando tempo para acalmar a mente. Quando estiver pronto para prosseguir, ative os chacras das mãos esfregando-os ou visualizando-os girar. Enquanto sente a energia de suas mãos crescer, toque as pontas dos dois dedos médios no centro de suas respectivas palmas. Essa é a localização do poderoso ponto CS8, utilizado na Medicina Tradicional Chinesa (fig. 10.2). Se necessário, utilize seu polegar para ajudar o dedo médio a ficar nessa posição, mas faça isso gentilmente.

Enquanto mantém seus dedos nessa posição, pense no que foi revelado ou confirmado sobre você por meio da exploração do dedo médio neste capítulo. Acrescente isso ao seu estoque de autoconhecimento, enquanto constrói uma compreensão maior e mais abrangente sobre quem é você e para onde está indo. Visualize a energia da mente consciente e subconsciente fluindo em harmonia equilibrada.

Quando essa prática tiver seguido seu curso, encerre-a, desativando os chacras da mão. Espere alguns momentos em silêncio antes de voltar às atividades diárias.

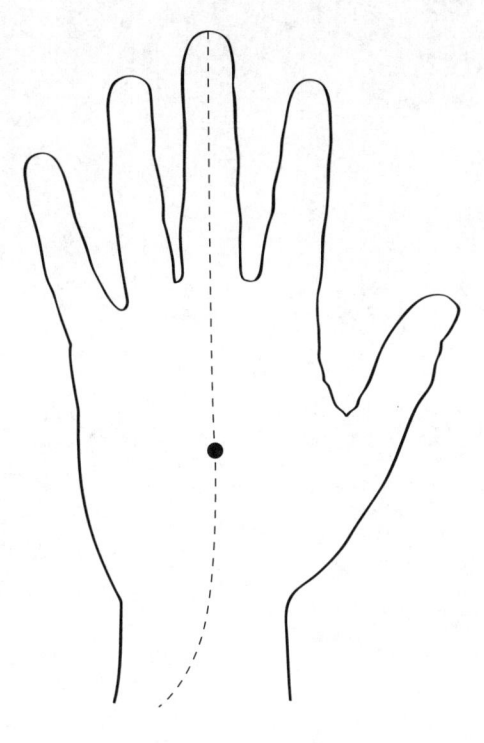

Figura 10.2. O meridiano pericárdio revelando o ponto CS8, utilizado para a revitalização geral.

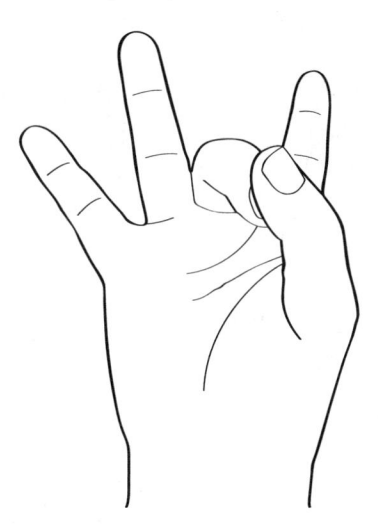

Figura 10.3. O mudra do dedo médio, equilibrando a energia do consciente e do subconsciente.

11

O Dedo Anular

Esse dedo localiza-se completamente dentro da área subconsciente da mão e seu elemento é o fogo. A combinação do subconsciente ativo (mão superior) e do fogo produz a capacidade para uma expressão muito criativa. O fogo faz com que as coisas aconteçam e fornece a faísca que abastece os impulsos criativos. A forma como as ideias se manifestam varia muito de um indivíduo para o outro.

Esse dedo também é conhecido como o Sol ou Apolo (deus do sol grego). Essas associações possuem significados que entrelaçam a criatividade, a intuição, a profecia e a cura. O poder de Apolo era a força por trás da habilidade profética do oráculo de Delfos. Todo o complexo do templo de Delfos era dedicado à sua honra. Como deus sol, seu poder era associado à criativa força vital do Sol. Criatividade, intuição e profecia vêm de um reino misterioso que permanece inexplicável. Um dedo anular bem formado indica que os impulsos criativos da mente subconsciente encontraram uma forma de expressão saudável.

Tendemos a considerar a criatividade como algo relacionado às artes – pintura, literatura, música, teatro –, mas várias formas de expressão criativa podem envolver e engrandecer nossas vidas diárias. Talvez, acima de tudo, a criatividade se relacione com a satisfação pessoal.

O dedo anular associa-se à emoção, aos relacionamentos e às atitudes. Ele revela nossa "capacidade para a felicidade",[124] que vai de mãos dadas (literalmente) com nosso "poder de se ajustar e de se adaptar".[125] Isso surge como uma sensibilidade diante do que nos rodeia e um prazer por novos desafios. Além disso, o dedo anular forte e bem desenvolvido indica equilíbrio emocional, versatilidade e atitude positiva, que sustentam nossa habilidade de lidar com mudanças. Assim como o monte que se localiza abaixo dele, esse se associa a uma perspectiva

---

124. Levine, *Palmistry*, p. 14.
125. Hipskind Collins, *Hand From A to Z*, p. 82.

resplandecente e alegre da vida. Isso frequentemente se combina com uma aparência atraente e saudável.

Outro aspecto do dedo anular são as expectativas idealistas. Isso pode causar problemas quando elas não são sustentadas por equilíbrio e força emocionais e, é claro, pelos pés no chão. É bastante comum que um dedo anular fraco indique a necessidade de encorajamento, pois a competência e as habilidades são subestimadas. Como consequência, essas pessoas podem se tornar tão inibidas que suas capacidades padecem e seus talentos não são reconhecidos. Como em muitas situações causadas por desequilíbrios, esta pode se tornar uma bola de neve fora de controle. Ao sentirem que seus talentos estão sendo negligenciados, as pessoas podem passar a ter um comportamento passivo-agressivo para chamar atenção. Isso se opõe totalmente à característica de assertividade do elemento do fogo que está em equilíbrio.

Em circunstâncias saudáveis, a assertividade combinada com o desejo de Apolo pela fama ajuda as pessoas a se tornarem conhecidas nas áreas em que atuam. A timidez é outra característica em potencial que pode produzir obstáculos e ser bastante problemática se houver um desejo pela fama. Em uma situação de equilíbrio, as pessoas podem superar sua timidez para alcançar objetivos.

Com uma natureza quente e solar, as pessoas de Apolo evitam a qualquer custo conflitos e confrontos. Apesar disso, sua sensibilidade pode deixá-las no meio de conflitos, no papel de pacificadoras. Isso se torna verdade principalmente se seu Monte de Júpiter ou se seu dedo indicador forem fortes, pois cumprirão muito bem esse papel.

É claro que o dedo anular foi denominado dessa forma por causa do costume de se usar aliança nele. Ela é utilizada com frequência na mão esquerda, por causa de uma crença antiga de que uma grande artéria ligava esse dedo ao coração.[126] É o sinal simbólico exterior de uma mudança interior na vida emocional.[127]

Espaço e comprimento

Um espaço grande entre os dedos médio e anular sinaliza pessoas que são ativas e seguras de si. Elas tendem a ser tranquilas, não gostam muito de formalidades sociais e são, com frequência, boêmias. Isso também se reflete, em um grau menor, no espaço largo entre os dedos anular e mindinho, quando as pessoas não se constrangem pelo que os outros pensam delas.

---

126. Gettings, *Book of The Hand*, p. 101.
127. Ibid.

Isso traz liberdade de ação e independência. Um espaço pequeno entre o anular e o mindinho indica pouca independência ou falta de liberdade.

Um dedo anular comprido é, em geral, interpretado como sinal de alguém sociável, seguro, divertido e criativo. O dedo comprido e reto indica versatilidade. Além disso, um dedo anular comprido está associado à sorte[128] e ao carinho por crianças.[129]

Quando o dedo anular possui o mesmo comprimento do dedo indicador, há uma tendência a correr riscos, o que pode ser reforçado por otimismo e autoconfiança. Além disso, os dois dedos com o mesmo comprimento podem indicar habilidade para ganhar dinheiro, pois o dedo anular também está ligado à qualidade de ser cuidadoso. Entretanto, um dedo anular mais comprido do que o indicador é sinal de problemas, que se originam de um desequilíbrio ou de uma imaturidade emocional. Aqui, correr riscos pode se tornar perigoso. As pessoas podem ficar tão preocupadas com seu próprio mundo que não enxergam as implicações negativas, principalmente quando se trata de jogos de azar. Não estar ciente do mundo real também pode causar problemas no que concerne a habilidade de adaptação, pois as pessoas racionalizam as situações problemáticas em vez de lidar diretamente com elas. Em contraste, pessoas com dedos anulares de comprimento médio são, em geral, adaptáveis a qualquer situação. Sua atitude segura e versatilidade fornecem a estabilidade e os mecanismos necessários para lidar com isso.

Com o dedo anular curto, há uma tendência de evitar ter de se adaptar a novas situações. Apesar de essas pessoas serem criativas, um dedo curto indica que esses impulsos são refreados, causando muita frustração. Podem até chegar a ponto de não mais se expressar de forma criativa. Quando as emoções estão desequilibradas, as pessoas podem se sentir atoladas, ou como se algo em suas vidas as puxasse para baixo. Surpreendentemente, não é raro que essas pessoas se tornem "muito individualistas"[130] e capazes de se expressar de formas únicas, pois os fortes impulsos criativos terão encontrado meios de expressão.

Vimos que pessoas com dedos anulares de comprimento médio são adaptáveis e versáteis. Além disso, são bem-apessoadas e despretensiosas. A vida emocional está em equilíbrio e a energia criativa flui de uma forma natural, que não domina nem interfere na vida diária. A autora Judith Hipskind Collins observou que, nessa situação, as forças subconscientes são proporcionais às forças conscientes.[131]

---

128. Hipskind Collins, *Hand From A to Z*, p. 207.
129. Levine, *Palmistry*, p. 31.
130. Gettings, *Book of The Hand*, p. 102.
131. Hipskind Collins, *Hand From A to Z*, p. 82.

Reto, torto, curvo ou inclinado

Um dedo anular reto indica que a criatividade se expressa diretamente. Um dedo anular inclinado em direção à palma quer dizer que a intuição e a expressão estão inibidas. O grau de inclinação sinaliza o grau de inibição.[132] Essa inclinação também pode significar que a pessoa está escondendo algum aspecto de sua vida pessoal.

A boa notícia é que um dedo inclinado em direção à palma pode ser uma situação temporária. Isso pode ser determinado pelo fato de o dedo poder ser inclinado de volta ao eixo dos outros dedos, sem que isso cause dor.[133] Por favor, observe que isso não é algo que deve ser forçado com vistas a reverter qualquer inibição. Trabalhar energicamente com a mão é bem mais eficaz e não causa dor. Lidaremos com isso depois, na parte "Prática".

Se a parte superior do dedo é inclinada em direção ao dedo médio, a pessoa pode estar lidando com dificuldades emocionais. Isso pode se originar de uma série de decepções que fizeram com que a pessoa se sentisse em conflito em certas situações ou aspectos da vida. Nesse caso, trabalhar com isso e explorar um novo canal para a expressão criativa pode aliviar o distúrbio emocional e ajudar a pessoa a desenvolver novas formas de se adaptar de maneira saudável.

Quando o dedo anular inteiro inclina-se para o dedo médio, pode haver um conflito entre os deveres (responsabilidades sérias) e o desejo de se divertir. Apesar de essas coisas não serem mutuamente excludentes, uma ética de trabalho rigorosa tende a deixar as atividades divertidas em banho-maria, mais do que o necessário. Uma inclinação leve para o dedo médio denota pessoas que são meditativas e introspectivas. Elas precisam de tempo para ficar em contato com seu Eu interior, alcançando o núcleo de sua criatividade.

Um dedo anular inclinado em direção ao dedo mindinho demonstra que os talentos criativos são cultivados com o fim de ganhar dinheiro. Isso não diminui a profundidade da expressão, essa pessoa simplesmente acha mais agradável desenvolver e utilizar talentos para fins práticos. Naturalmente, a melhor situação é combinar a expressão criativa com meios de ganhar a vida.

As pontas do dedo

A ponta do dedo carrega energias elementares, principalmente no que se refere às artes. A ponta pontuda, de água, significa que a pessoa tem

---

132. Gettings, *Book of The Hand*, p. 104.
133. Ibid.

uma aproximação com as artes ou com a poesia idealista. A ponta cônica, de ar, indica um pensamento artístico. Essas pessoas querem que tudo em suas vidas seja estético e reflita seu estilo – cada nuance da vida diária é uma oportunidade para refletir a beleza.

A ponta quadrada, de terra, revela pessoas que procuram a verdade por meio de sua expressão criativa – para elas, a beleza precisa de um propósito. A ponta espatulada, de fogo, reflete uma natureza ativa e um interesse pela dança e pelo teatro. Ensinar *Tai Chi* ou alguma outra forma de movimento são meios pelos quais essas pessoas encontram sua expressão artística.

Pessoas com a ponta do dedo pontuda e cônica demonstram um forte senso para sua arte, enquanto as pontas quadrada e espatulada tendem a seguir um nível mais prático. Além disso, pessoas com a ponta do dedo anular espatulada tendem a incorporar um senso de diversão e de humor em sua expressão criativa.

As partes

Quando a parte superior do dedo anular é a maior das três, encontraremos uma pessoa com muita inspiração artística. Essa parte se relaciona com a mente e, quando combinada com uma ponta do dedo pontuda, habilidades poéticas florescem. Com uma ponta cônica, a expressão será graciosa e fluida, independentemente de seu ambiente. Uma ponta quadrada indica a habilidade e o interesse por música ou por literatura.

A parte do meio comprida fortalece a praticidade da vida. Há talento para os negócios e esse sujeito lida com frequência com os talentos artísticos das outras pessoas. Quando a parte inferior é a maior, a pessoa é muito prática e tem os pés no chão. Apesar das qualidades artísticas alheias serem apreciadas, sua própria criatividade se expressa por meios práticos.

Metodologias de cura e energia relacionadas ao dedo anular

Medicina Tradicional Chinesa. O meridiano energético associado ao dedo anular é chamado de San Jiao, o queimador triplo ou triplo aquecedor. Ele é responsável por verificar o que nos rodeia – discernindo as "vibrações" – e está associado às habilidades físicas. As três áreas do corpo são: a superior, que inclui órgãos acima do diafragma; a do meio, que envolve todos os órgãos entre o diafragma e o umbigo; e a inferior, composta por todos os órgãos abaixo do umbigo.

O meridiano San Jiao começa no dedo anular, sobe até o braço e então contorna o pescoço (fig. 11.1), terminando na lateral da cabeça, perto do canto externo do olho. Esse canal energético é utilizado para tratar dores de ouvido, dores de cabeça e visão embaçada.

Reflexologia. O dedo anular é utilizado para tratar os ouvidos. Além disso, a polpa do dedo está ligada aos seios da face, à cabeça e ao cérebro.

Acupressão. O dedo anular é utilizado para tratar dores de cabeça.

Chacras. O dedo anular está associado ao primeiro chacra, o raiz.

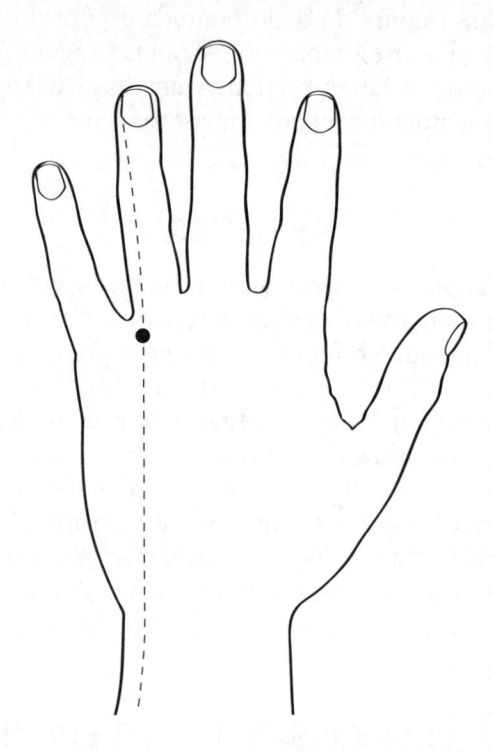

Figura 11.1. O meridiano de San Jiao mostrando o segundo ponto, que é usado para tratar garganta inflamada, assim como melhorar a flexibilidade da mão.

Prática: os mudras de Prithivi e Detox

Prepare-se para a prática meditativa, da maneira usual. Com suas mãos confortavelmente apoiadas no colo e os chacras ativados, encoste as pontas dos polegares nas pontas dos dedos anulares, formando círculos. Isso é chamado mudra de Prithivi, e é bom para criar estabilidade

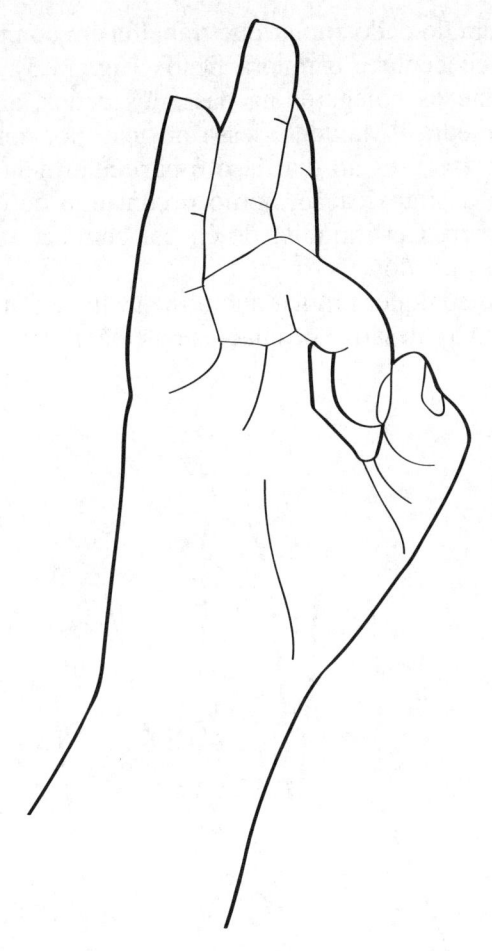

Figura 11.2. O mudra de Prithivi trabalha com a energia do dedo anular.

interna (fig. 11.2). A estabilidade é importante para nos ajudar a manter o equilíbrio emocional que sustenta nossa expressão criativa.

Enquanto está sentado em silêncio, pense no que aprendeu sobre si mesmo por meio da exploração do dedo anular. À medida que faz isso, visualize a energia se movimentando em forma de anel, dos chacras das mãos em direção ao meio das palmas, até os dedos anulares e, então, para os polegares, retornando para os chacras das palmas. Esse mudra estimula a temperatura[134] do corpo, já que a energia de fogo do dedo anular é ativada. Quando sentir que sua energia está baixando, encerre a prática.

---

134. Hirschi, *Mudras*, p. 85.

Outro mudra do dedo anular que trabalha em conjunto com o meridiano triplo aquecedor é o mudra Detox (fig. 11.3). Com os dedos esticados, encoste os polegares na base dos dedos anulares e próximo aos dedos médios. Mantenha essa posição por aproximadamente 15 minutos, várias vezes ao dia. Isso é particularmente eficaz durante processos de desintoxicação, como o consumo de chás e comidas especiais, ou jejum. Certifique-se de checar com seu médico antes de embarcar nesses métodos.

Ao final de qualquer prática que utilizar, fique um tempo sentado em silêncio e, então, desative os chacras das mãos.

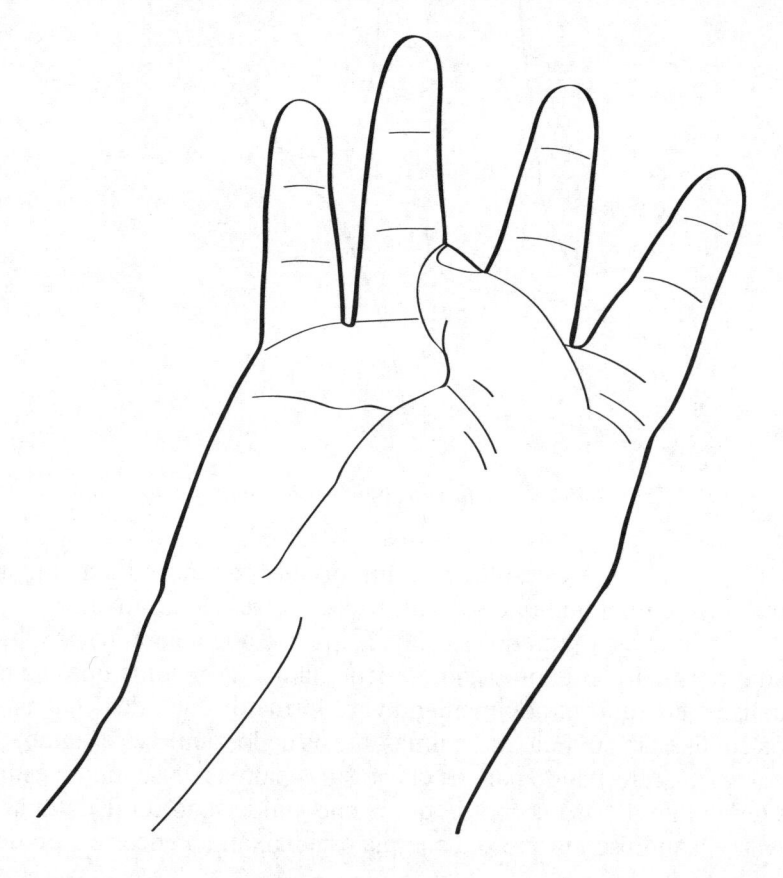

Figura 11.3. O mudra Detox, de desintoxicação, ajuda a revitalizar o corpo.

12

O Dedo Mindinho

O dedo mindinho localiza-se na área ativa subconsciente da mão e seu elemento é o ar. Ele se associa às habilidades mentais e às capacidades de comunicação. Quando é bem desenvolvido, a pessoa possui talento para transmitir ideias, assim como para persuadir os outros a acompanhá-la. O dom do discurso é a marca desse dedo e essa é uma das razões pelas quais ele tem sido chamado de "mensageiro do inconsciente".[135] Esse dom também pode se estender a um talento para cantar.

Diferentemente dos dedos anular e médio, o dedo mindinho possui a capacidade de movimentar-se de forma independente, embora não chegue perto do nível de independência do dedo indicador. Um anel nesse dedo é sinal de autossuficiência. Apesar da independência e da desenvoltura desse dedo, uma pessoa com um dedo mindinho forte, na verdade, precisa do apoio e do encorajamento dos outros. Além disso, essa pessoa é espirituosa – geralmente, com um senso de humor excêntrico – e carismática. Há perigo em utilizar o charme para manipulação, enrolando os outros em seus dedos. Essa pessoa pode ser um mestre do sarcasmo, com gosto por chocar os outros.

Ligado à mente, o elemento ar traz sabedoria e inspiração como características desse dedo. A pessoa com um dedo mindinho bem desenvolvido gosta de desafios intelectuais, é uma pensadora e se envolve com frequência nos estudos. Assim como o monte que está abaixo dele, o dedo também revela talento para comércio e negócios.

O dedo mindinho está associado ao coração e aos órgãos abdominais, que obviamente incluem os órgãos sexuais. Esse dedo associa-se às nossas atitudes no que se refere ao sexo, assim como à nossa vida sexual, seja ela algo de que gostamos ou que nos causa problemas. Outra característica é a atração por pessoas com problemas.

---

135. Hipskind Collins, *Hand From A to Z*, p. 83.

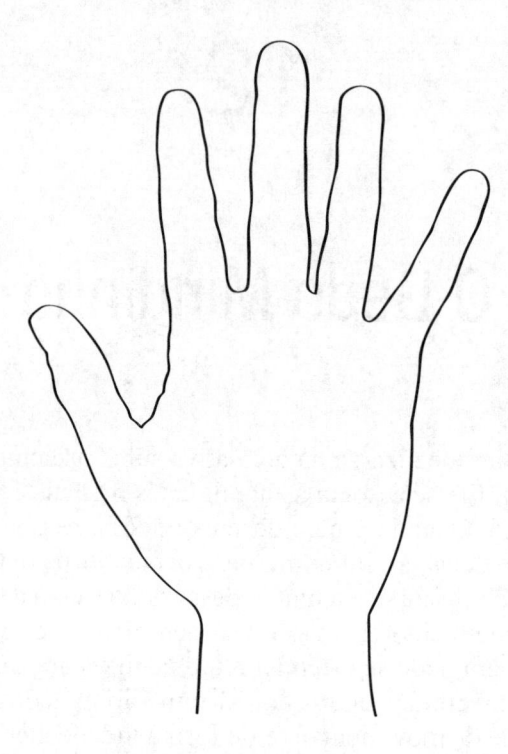

Figura 12.1. Um espaço grande entre os dedos anular e mindinho.

O dedo mindinho está ligado, de forma genérica, aos relacionamentos íntimos; contudo, isso não se limita ao nosso parceiro, mas inclui também nossos pais. Afinal, eles cumprem um papel na definição do tipo de parceiro que queremos ter – para o bem e para o mal.

Relacionamentos com pais e parceiros funcionam melhor quando temos independência e espaço individual. Isso forma um círculo completo: o dedo mindinho representa as emoções, os relacionamentos e a independência.

Aquela conhecida posição do dedo mindinho ao tomarmos chá pode parecer um gesto singular de polidez; entretanto, foi desenvolvido no fim do século XIX como um símbolo político dos direitos iguais das mulheres. A ideia era que a igualdade e a independência ocorressem em todos os níveis, inclusive na cama.[136] Hoje em dia, também pode representar um desejo não expresso por distância em um relacionamento.

---

136. Gettings, *Book of The Hand*, p. 108.

Espaço e comprimento

Como vimos, esse dedo está ligado à independência, e é o espaço entre os dedos anular e mindinho que se relaciona à habilidade da pessoa de agir de forma independente. Se o espaço na mão dominante for maior do que na mão não dominante, há uma independência maior do que no passado. Um espaço pequeno indica menos independência no presente. Além da independência, o espaço grande pode indicar que a pessoa quer se distinguir e se destacar da multidão.

Compare também os espaços entre os dedos indicador e médio e os dedos anular e mindinho, pois isso revela conflitos ou situações que são, em geral, temporárias. Um espaço menor entre os dedos indicador e médio demonstra alguém que segue o ritmo do grupo ou que age sem pensar muito. Um espaço menor entre os dedos anular e mindinho demonstra uma pessoa que toma suas próprias decisões, mas não age.

Além da independência, um espaço grande entre os dedos anular e mindinho pode indicar questões e problemas com relacionamentos (fig. 12.1). Em combinação com um Monte de Vênus proeminente, isso tende a indicar uma pessoa preocupada com sexo – imaginando ou buscando. Um espaço entre esses dedos maior do que todos os outros revela uma pessoa que, de acordo com o quiromante e autor Roz Levine, "pensa e fala de forma rebelde".[137]

Quando não há espaço entre os dedos anular e mindinho, isso indica dificuldade com a comunicação. Se o dedo mindinho se sobrepuser ao dedo anular, pode haver uma timidez subjacente ou questões de dependência.

Como aprendemos há alguns capítulos, o dedo mindinho com um comprimento médio é aquele que alcança a primeira articulação do dedo anular (entre as partes superior e do meio). Isso demonstra alguém versátil e que procura se aperfeiçoar. Essa última qualidade se origina da atitude de tentar ser alguém melhor, e não de sentimentos de inadequação.

Um dedo mindinho longo demonstra fortes modos verbais e não verbais de autoexpressão. Essa pessoa também é capaz de imitar os outros muito bem. Além disso, pode sinalizar alguém que é observador e erudito. Quando o dedo mindinho tem o mesmo comprimento do dedo médio, a pessoa possui uma aptidão extraordinária no campo científico.

Um dedo mindinho com o mesmo comprimento do dedo indicador revela tato e diplomacia. Quando é igual ao dedo anular, pode haver

---

137. Levine, *Palmistry*, p. 16.

grande versatilidade e uma forte influência sobre as pessoas. Outras características associadas a um dedo mindinho comprido incluem um estado de alerta, ceticismo e otimismo.

Um dedo mindinho com um comprimento abaixo da média pode indicar dificuldades com a expressão verbal e/ou sexual. Contudo, também pode significar que essa expressão está inibida ou simplesmente menos expansiva. Outra característica do dedo mindinho curto é o fato de a pessoa ser um pouco emotiva e precipitada, o que pode levá-la a tirar conclusões antes de ter uma visão geral da situação. Por causa disso, ela também pode ser às vezes um pouco brusca. Outra interpretação acerca do pequeno comprimento desse dedo é o fato de possuir muitos interesses, assim como a habilidade de focar intensamente em um deles.

Reto, torto, curvo ou inclinado

Um dedo mindinho reto sinaliza verdade e confiança. Quanto mais reto for o dedo, mais honesta a pessoa será em suas palavras e ações.[138] Isso também significa que os relacionamentos com pais e parceiros são equilibrados e saudáveis.

Quando o dedo é retorcido ou torcido em seu eixo vertical, pode haver alguma desonestidade que surgirá de tempos em tempos na forma de leves mentiras. Quanto mais retorcido for o dedo, maior será a habilidade para modificar a verdade. Com frequência, a mentira se dá em relação ao sexo,[139] e é interessante que ambos os aspectos se associem ao mesmo dedo. É claro que a mentira é uma forma de comunicação, mas também pode se aplicar ao nosso diálogo interno. Às vezes, as pessoas são capazes de mentir para si mesmas ou negar certas situações, algo que não leva a lugar nenhum.

Um dedo mindinho inclinado em direção ao dedo anular revela uma pessoa que usa seus talentos para ajudar os outros. Uma inclinação em direção à palma tem sido interpretada como sinal de alguém reservado; entretanto, isso também significa que a pessoa é capaz de manter segredos. Esse é um aspecto importante nos relacionamentos – algumas coisas compartilhadas entre duas pessoas devem permanecer entre elas, e não incluir terceiros. A inclinação em direção à palma pode indicar também uma necessidade de aceitação, assim como um esforço simbólico pelos outros.[140] Esse é muitas vezes um argumento que deve ser reconhecido e aceito.

---

138. Ibid., p. 31.
139. Gettings, *Book of The Hand*, p. 46.
140. Hipskind Collins, *Hand From A to Z*, p. 50.

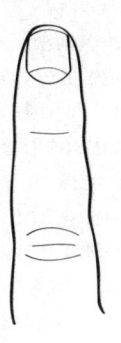

Figura 12.2. Dedo com uma meia-lua na base da unha.

A inclinação, que começa na base do dedo, possui outras conotações. Uma inclinação para a frente indica a sensação de que algo está faltando no relacionamento familiar. Como consequência, a pessoa (a criança) frequentemente pode se tornar um grande empreendedor, em um esforço para compensar essa falta e, quem sabe, ganhar a atenção dos pais. A inclinação para o dedo anular indica várias coisas, como alguém geralmente otimista e com o dom da persuasão. Contudo, isso também pode indicar a capacidade de combinar interesses em ciências e artes, ou uma sagacidade nos negócios envolvendo as artes. Em um nível emocional, a inclinação pode indicar dificuldades em superar algumas coisas, sejam elas grandes acontecimentos ou simplesmente percebidas como tais.

Quando todos os outros dedos inclinam-se em direção ao dedo mindinho, a pessoa pode gostar de viver em um mundo dos sonhos ou ter um desejo de levar uma existência mais contemplativa. De acordo com Gettings, um dedo mindinho malformado sinaliza "simplicidade externa [que] esconde a complexidade interna".[141]

As pontas do dedo

Observaremos mais uma vez como os vários tipos de ponta dos dedos manifestam-se em um dedo específico. As pontas pontudas e cônicas (elementos de água e ar) indicam um interesse passageiro pelas artes. Quando uma dessas pontas se combina com uma parte inferior comprida do dedo, a pessoa sabe mesclar o ideal com o prático. Ela se daria bem como proprietária de uma galeria de arte. O formato cônico também for-

---
141. Gettings, *Book of The Hand*, p. 46.

talece a eloquência e o tato, que combinam muito bem com alguém que possui ou gerencia uma galeria de artes ou uma casa de leilão.

A ponta quadrada no dedo mindinho é sinal de um professor ou de alguém envolvido com pesquisas e com lógica. Uma pessoa com a ponta espatulada, por ser da energia de fogo, é muito ativa e adepta dos assuntos de negócios. No dedo mindinho, ela resulta em uma originalidade criativa que pode ser financeiramente compensadora.

O dedo mindinho também possui algumas anomalias. Alguns têm um caroço na ponta, indicando senso de humor inato e forte. Outros possuem uma ponta bulbosa, que significa uma pessoa "cheia de ideias".[142] Esse dedo é, em geral, o único que não possui uma meia-lua, a área semicircular na base da unha (fig. 12.2).

As partes

Uma parte superior comprida no dedo mindinho fortalece várias características. Está associada a um comunicador excepcional, talvez um artista, um escritor ou um professor. Essa pessoa é bem informada e gosta de aprender – a educação é algo perene e um interesse agradável. Quando uma parte superior longa combina-se com uma ponta pontuda, a pessoa é verbalmente divertida.

Se a parte do meio é predominante, indica talento para a comunicação prática. Essa pessoa pode não ser um gênio letrado, mas seu trabalho engrandece a vida diária das outras pessoas. A inventividade é a chave para seu sucesso.

Quando a parte inferior do dedo é mais comprida do que as outras duas, há um gosto pelos negócios e prazer em ser empresário. Mesmo quando estão envolvidas em transações comerciais, essas pessoas põem em seu trabalho um toque especial para se distinguirem dos outros.

Metodologias de cura e energia relacionadas ao dedo mindinho

Medicina Tradicional Chinesa. O dedo mindinho possui dois canais de energia: um é o canal do intestino delgado, que se inicia bem abaixo da unha do dedo mindinho, do lado oposto ao dedo anular. Ele passa pelo lado externo do braço e do pescoço e termina bem em frente à orelha. É utilizado para tratar problemas abdominais e urinários. O outro canal, do coração, começa debaixo do braço e passa pela parte de dentro deste,

---

142. Levine, *Palmistry*, p. 54.

terminando bem abaixo da unha do dedo mindinho, na lateral voltada para o dedo anular. Esse canal é utilizado para tratar cansaço, anemia e ansiedade, e seu oitavo ponto (C8) é usado para acalmar. Está localizado onde a ponta do dedo mindinho toca a palma, ao fecharmos o punho (fig. 12.3).

> *Reflexologia.* Assim como o dedo anular, o dedo mindinho é utilizado para tratar os ouvidos. Além disso, a polpa do dedo está associada aos seios da face, à cabeça e ao cérebro.
>
> *Acupressão.* O dedo mindinho é utilizado para tratar a ansiedade, a fadiga e as dores abdominais.
>
> *Chacras.* O dedo mindinho está associado ao segundo chacra ou chacra sacro, ligado às emoções e à sexualidade, assim como à família e à criatividade.

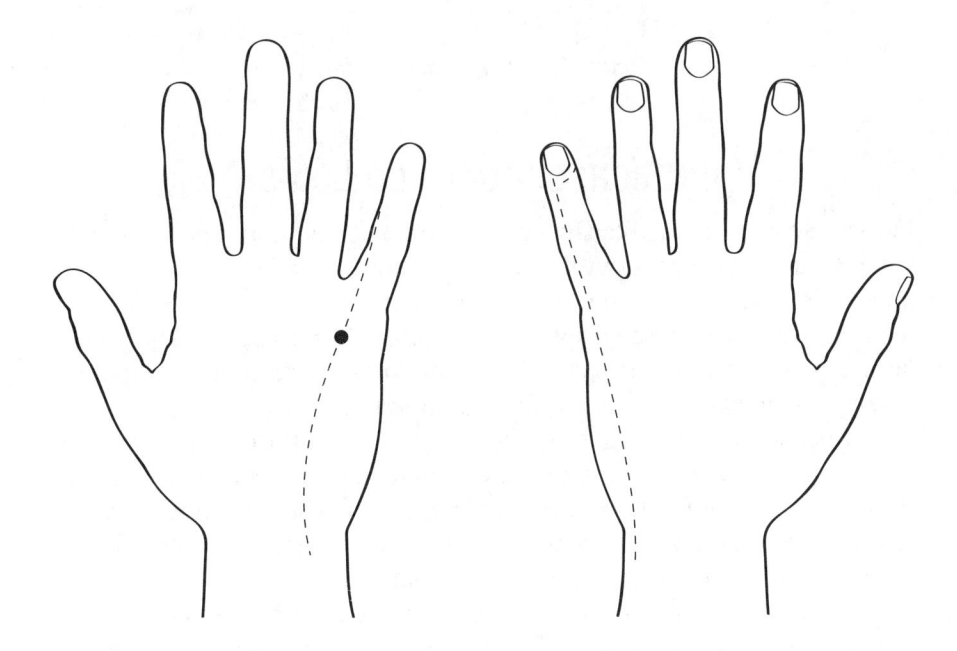

Figura 12.3. O canal do coração está à esquerda, com o ponto C8 destacado. À direita, o fim do canal do coração está à direita da unha, e o canal do intestino delgado inicia-se em seu lado oposto.

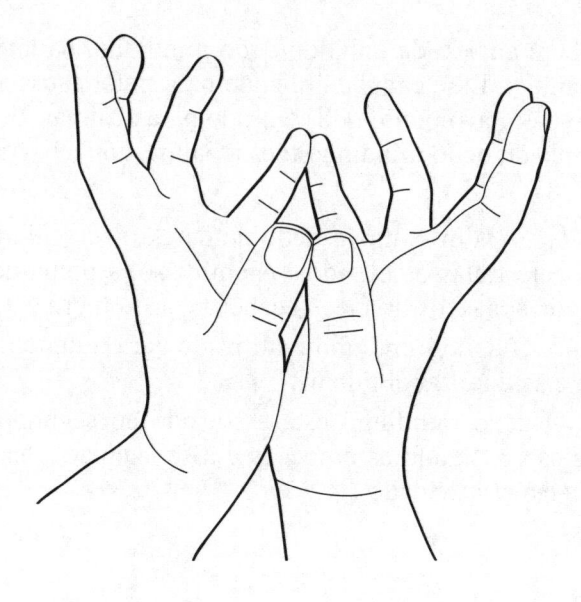

Figura 12.4. O mudra de Lótus.

Prática: o mudra de Lótus

Prepare-se para a meditação da maneira que melhor funcionar para você. Quando estiver pronto, ative os chacras das mãos e, então, coloque-as em uma posição de oração, em frente ao peito. Mantenha essa posição durante algumas respirações e, então, empurre os dedos indicadores, médios e anulares para trás, expondo as palmas como se fossem o centro de uma flor, que é o que esse mudra reproduz (fig. 12.4).

Encoste as pontas dos polegares uma na outra e faça o mesmo com as pontas dos dedos mindinhos, mantendo a posição. Graças ao fato de o dedo mindinho estar associado ao coração, às emoções e aos relacionamentos, fazer o símbolo de uma lótus representa a abertura de nós mesmos ao poder do amor e da compaixão.

Independentemente das experiências passadas em seus relacionamentos com pais e amantes, saiba que o amor verdadeiro e a compaixão se iniciam dentro de nós mesmos. Quando somos capazes de nos amarmos verdadeiramente (e esse não é um ato narcisista), abrimos nossas almas a um mundo maior de compaixão, beleza e harmonia.

Quando sentir que a meditação seguiu seu curso, sente-se com as mãos no colo por um ou dois minutos antes de desativar os chacras das mãos.

13

O Polegar e Nossa Combinação de Energia Quironômica

Finalmente chegamos ao polegar. Por estar localizado ao lado do dedo indicador, poderia parecer lógico estudá-lo primeiro. Mas, apesar de o polegar ser claramente diferente dos outros dedos, nós o examinaremos por último para enfatizar o quão único ele é.

A evolução que transformou esse dedo em um polegar opositor começou há aproximadamente 60 milhões de anos. Chamado de "mão menor", o polegar é o dedo mais especializado. Sua mobilidade extra "subjaz a todos os procedimentos hábeis de que a mão é capaz".[143] Comparadas às mãos dos grandes primatas, foi o comprimento proporcional dos dedos e dos polegares que forneceu às mãos humanas uma oposição "perfeita". Isso significa que o polegar e as pontas dos dedos podem se encontrar e trabalhar juntos facilmente para a manipulação precisa de objetos. Esse movimento, que fazemos incontáveis vezes cada dia (e consideramos normal), tem sido chamado de a "adaptação mais crucial na história evolutiva do homem".[144]

A base do polegar está enraizada na área consciente estática da mão, mas alcança a parte consciente ativa. Seu elemento é o espírito. O polegar representa a vida consciente, a força vital energética e a vitalidade. Ele demonstra a "natureza e qualidade" diárias da energia pessoal, assim como nosso "potencial cármico e a harmonia que nos rodeia".[145] O polegar nos informa sobre como nos relacionamos com o

---
143. Napier, *Hand*, p. 65.
144. Ibid., 68.
145. Tomio, *Chinese Hand Analysis*, p. 75.

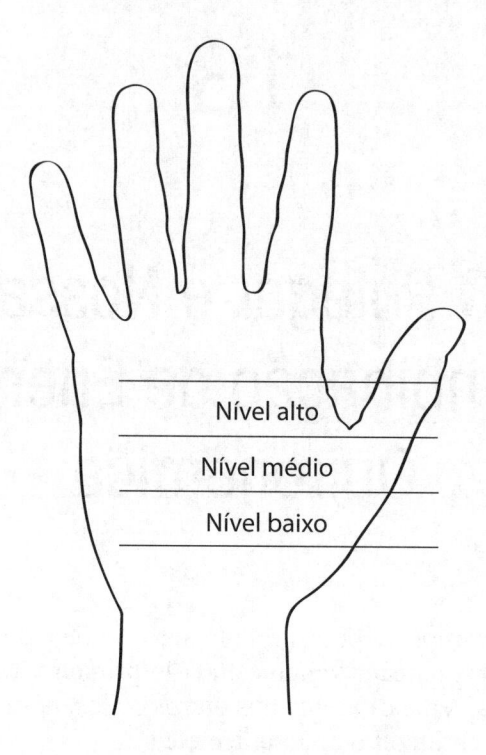

*Figura 13.1. Os vários níveis da posição do polegar.
O nível médio está destacado.*

mundo exterior, o que também revela o funcionamento da mente. Como Gettings afirma, o polegar fornece uma "expressão dinâmica" de energia e um ritmo de vida. Ele também se refere ao polegar como o "dedo da vida".[146] Juntamente com o dedo indicador, o polegar domina a parte da mão que usamos para interagir com o mundo que nos cerca.

Sendo a "raiz da mão",[147] em condições ideais o polegar deve equilibrar o restante da mão em termos de formato e comprimento. Um polegar forte e robusto indica firme força de vontade e dedicação.

Pelo fato de o polegar se relacionar à mente e ao modo pelo qual funcionamos em nossas vidas exteriores, é importante olhar para as razões pelas quais algumas pessoas escondem seus polegares. Bebês muito pequenos seguram seus polegares entre os dedos entrelaçados porque ainda não estabeleceram uma referência com o mundo exterior. O dedo indicador, o explorador, ainda não está por ali há tempo suficiente

---

146. Gettings, *Book of The Hand*, p. 85.
147. Hipskind Collins, *Hand from A to Z*, p. 86.

para começar seu trabalho. Os bebês escondem seus polegares somente por causa da falta de experiência.

Adultos com questões emocionais tendem a esconder os polegares dentro dos punhos por causa da inabilidade de "lidar com a própria vida, e, assim, ter controle sobre ela".[148] Esconder os polegares demonstra uma falta de associação com a vida e há pouco ou nenhum gosto pelas coisas. Em uma situação menos crítica, pode ser um sinal de tensão ou de ansiedade. Esse gesto também pode indicar que a pessoa se prende ao dinheiro ou tem medo de se deixar levar.[149]

A posição e o ângulo

Em um capítulo anterior, observamos os arcos dos dedos como um todo. Por ser único, o polegar possui uma posição diferente, que revela o estado de espírito da pessoa. Há três diferentes níveis do polegar: médio, baixo e alto (fig. 13.1). Um polegar em nível médio é o mais comum e demonstra equilíbrio entre "impressão e expressão".[150]

Um nível baixo coloca o polegar na parte mais inferior do Monte de Vênus. Essa posição se origina literalmente da energia de terra mais sólida. Apesar de essa pessoa ser prática, segura e amar a liberdade, a energia que ela utiliza para agir no mundo pode acabar sendo reprimida. Um polegar alto indica alguém que tende a segurar coisas internamente e acha difícil se adaptar às situações.

O ângulo do polegar demonstra como a energia da pessoa está direcionada. Um polegar que se mantém a aproximadamente 45 graus em relação à mão indica equilíbrio. Um ângulo pequeno – o polegar fica perto da mão – demonstra tendência a se retrair e uma autoproteção. Se o polegar parece estar preso à lateral da mão, há cautela em razão do estresse e do medo. Essa última situação revela uma infelicidade geral, causada principalmente pelo fato de os problemas serem vistos como grandes demais para ser enfrentados, e as demandas da vida, grandes demais para suportar. Como consequência, essa pessoa pode ceder seus poderes pessoais a outros, que tomarão as decisões.

Polegares que se mantêm em um ângulo amplo em relação à mão denotam pessoas generosas e de mente aberta. Elas se aventuram pelo mundo e formam suas próprias opiniões. Esse polegar demonstra confiança e energia em equilíbrio.

---

148. Gettings, *Book of The Hand*, p. 79.
149. Levine, *Pamistry*, p. 116.
150. Tomio, *Chinese Hand Analysis*, p. 75.

Quando o polegar forma naturalmente um ângulo muito aberto, cerca de 90 graus, encontramos pessoas com personalidades expansivas, que dominam seus ambientes. Possuem muita confiança e tentam praticamente tudo de uma vez. Além disso, um polegar que parece se inclinar para trás demonstra alguém que se joga nas oportunidades, em geral, com muito sucesso.

O formato e o tamanho

Como estamos descobrindo, o polegar se relaciona com nossa energia pessoal. O tamanho indica nossa energia básica e as partes (contempladas a seguir) demonstram como nossa energia é utilizada.[151]

Assim como ocorre com os dedos, o comprimento do polegar é relativo ao da mão. O comprimento é determinado ao manter o polegar encostado na lateral da mão. Um polegar-padrão (ou médio) alcança o meio da parte inferior do dedo indicador. Um polegar curto deve alcançar a parte inferior do dedo indicador, enquanto um polegar muito comprido deve chegar à articulação que fica entre a segunda e terceira partes.[152]

Um polegar curto indica que o coração comanda a cabeça. Essas pessoas podem ser seduzidas pela emoção, assim como pelo que os outros dizem sobre elas, seja bom ou ruim. Além disso, elas são ferozmente leais. Um polegar curto e grosso indica boa energia e determinação; curto e fino, indecisão. Um polegar muito curto indica uma dificuldade em realizar potenciais. Isso não significa que essas pessoas não possam alcançar seus objetivos – elas simplesmente precisam de um encorajamento e do apoio dos outros para isso. Também podem ter uma tendência a deixar as coisas de lado, mas saem-se bem se tiverem alguém para mantê-las no eixo.

Um polegar comprido demonstra alguém com bom senso, determinação e concentração. Essa pessoa alcança seus objetivos facilmente. Também indica capacidade e um "profundo manancial energético",[153] e, com frequência, sinaliza uma pessoa autoconfiante e líder influente. Um polegar comprido e grosso revela personalidade forte.

O tipo de articulação

Quando falamos da articulação do polegar, estamos nos referindo àquela que se localiza entre a ponta e a parte do meio. Há quatro características que descrevem a condição dessa articulação: rígida, maleável,

---

151. Gettings, *Book of The Hand*, p. 79.
152. Hipskind Collins, *Hand From A to Z*, p. 86.
153. Gettings, *Book of The Hand*, p. 79.

flexível e muito flexível. Começaremos olhando para a característica mais comum, que é a articulação maleável. Essa articulação pode se inclinar para trás com facilidade, o que é um sinal de generosidade, tanto em tempo quanto em dinheiro. A articulação maleável indica uma pessoa que possui mente aberta e é fácil de lidar. Aberta a novas ideias e, em alguns momentos, inconveniente, essa pessoa gosta da companhia dos outros e de diversão.

A articulação rígida é isso mesmo: não se dobra com facilidade. Ela demonstra que uma pessoa é responsável, tem força de vontade e não promete o que não pode cumprir. Apesar de essa pessoa gostar do controle, principalmente sobre as finanças e sobre si mesma, a espontaneidade pode ser uma questão em seus relacionamentos pessoais. Esse indivíduo pode também ter crises de teimosia.

Um polegar com articulação flexível indica pessoas flexíveis, que são tolerantes com os outros e preferem evitar confrontos. Um problema é o fato de não se desprenderem do dinheiro. Uma articulação muito flexível é aquela que se dobra para trás. Impulsivas e com tendência a prometer mais do que podem cumprir, essas pessoas podem ter grandes ideias que, infelizmente, não chegam a lugar nenhum.

Uma articulação grande é aquela que parece desproporcional em relação ao polegar. Enquanto acrescenta força de vontade, também cria uma barreira para a energia, bloqueando a lógica. Essa pessoa pode se entregar a projetos, mas parece nunca conseguir finalizá-los.

A ponta do polegar e as partes

Ao contrário dos dedos, que possuem três partes bem definidas, o polegar nos traz a uma área polêmica. A "terceira" parte do polegar, considerada por algumas pessoas, é o Monte de Vênus. Pessoalmente, acho que isso é uma tentativa de fazer com que o polegar se encaixe no molde dos outros dedos, quando ele é simplesmente diferente.

Em termos fisiológicos, os ossos que se estendem para além das palmas das mãos são as falanges. Os ossos das mãos que conectam as falanges aos ossos carpos da articulação do pulso são os metacarpos. Sugerir que o metacarpo do polegar é uma parte, assim como as falanges, significaria dizer que os metacarpos dos dedos também deveriam ser considerados partes dos dedos. Já que não podemos ter os dois lados, neste livro aceitaremos o fato de que o polegar é diferente e possui duas partes. Acredito que isso funciona bem também porque o polegar é único e representa o espírito; é muito diferente dos quatro elementos básicos dos dedos. Assim, procederemos às duas partes do polegar.

A primeira parte (que contém a unha) representa a força de vontade, o poder de decisão e a habilidade de liderar. A segunda parte representa a lógica, a percepção, o julgamento e a razão. Ao considerar as proporções das partes, a relação deve ser de dois para três. A primeira parte, da ponta à articulação do meio, deve equivaler a dois quintos do comprimento total do polegar. Quando as partes são proporcionais, o pensamento e a ação estão equilibrados. Nesse caso, a determinação é apoiada pela razão e somos capazes de "resolver o problema da adaptação constante exigida pela vida".[154]

A ponta do polegar possui seu próprio conjunto de formatos, que incluem os familiares formatos cônico, quadrado e espatulado. Um formato cônico indica alguém impressionável e impulsivo. A ponta quadrada demonstra força e bom senso, enquanto a espatulada demonstra ação, independência e originalidade. Além desses formatos, há também o formato de bastão, o grosso e aquele com pontas finas. O bastão indica uma "tendência em direção à raiva e à agressão".[155] Com seu final bulboso, pode significar que a energia da pessoa está ficando presa; além disso, se e quando essa energia se move, o faz em explosões, causando distúrbios emocionais. A ponta grossa indica vontade forte, autodisciplina e altos padrões. Uma ponta muito grossa pode indicar teimosia.

A ponta fina sinaliza alguém que pode ser tímido e gostar de escapar da responsabilidade em alguns momentos. Esses indivíduos são cuidadosos e não costumam ser o centro das atenções. Se a ponta é fina a ponto de quase parecer chata, a pessoa pode não ter muita autodisciplina. Quando essa parte se inclina naturalmente para trás, há um toque de comportamento impulsivo.

Representando a lógica e o poder da razão, uma segunda parte do polegar grossa indica alguém que pensa com cuidado antes de agir. Isso denota equilíbrio e controle sobre o fluxo de energia vital. Quando essa parte é fina, a pessoa, em geral, possui uma mente aberta. Se for mais fina no meio, como se tivesse uma cintura, a pessoa é cuidadosa e diplomática.

Uma parte inferior desproporcionalmente comprida é indicativa de uma mente analítica. Contudo, essa pessoa pode gastar tempo demais pensando e não fazer muita coisa. Quando essa parte é desproporcionalmente curta, a pessoa toma decisões baseando-se em seus instintos em vez de na lógica.

---

154. Gettings, *Book of The Hand*, p. 83.
155. Saint-Germain, *Runic Palmistry*, p. 59.

Metodologias de cura e energia relacionadas ao polegar

Medicina Tradicional Chinesa. O meridiano energético associado ao polegar é o canal do pulmão. Ele começa no centro do peito, abaixo da clavícula, e passa pela parte interna do braço até a ponta do polegar. É utilizado para tratar problemas respiratórios, febre e dores de cabeça. Um ponto na mão, o P10, é usado para tratar dores de garganta e resfriados (fig. 13.2).

Reflexologia. O polegar é utilizado para tratar problemas no cérebro, na cabeça, no pescoço e na garganta, assim como nas glândulas pineal e pituitária.

Acupressão. O polegar é utilizado para tratar dores de garganta, resfriados e problemas nos seios frontais da face.

Chacras. O polegar possui dois pontos relacionados aos chacras. A ponta está associada ao chacra da coroa, e o ponto logo abaixo da articulação, ao chacra do terceiro olho.

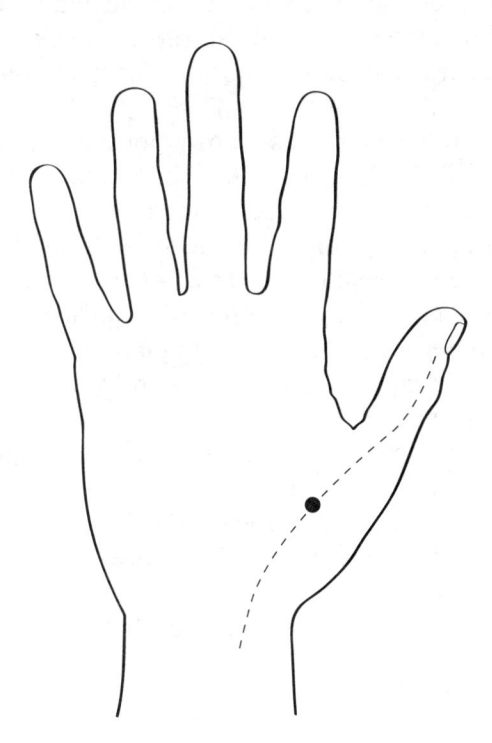

Figura 13.2. O canal do pulmão, com o ponto P10.

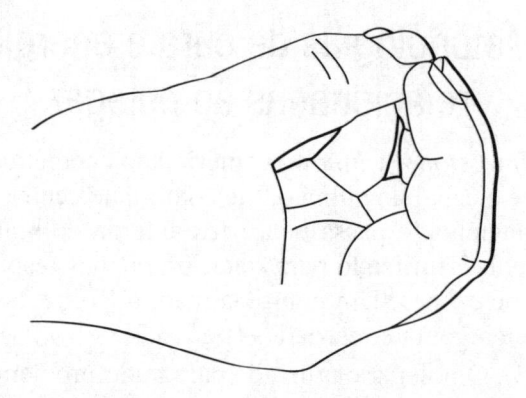

Figura 13.3. Pontas dos dedos sobre o chacra da mão.

Prática: o polegar e o chacra mudra da mão

Com o polegar, retornamos ao mudra da meditação clássica, o Jnana, onde o polegar representa o divino, a consciência cósmica. Como vimos, ele também representa nosso espírito e nossa energia e, por isso, descobrimos ser crianças do Cosmos, carregando conosco faíscas de divindade.

Inicie essa prática com suas mãos repousadas no colo, palmas viradas para cima. Pense no que veio à tona para você em seu estudo sobre o polegar. Enquanto isso, faça o Jnana mudra, com as pontas dos polegares encostando nas pontas dos dedos indicadores, formando um círculo. Encoste lentamente o polegar na ponta de cada dedo, uma por vez, mantendo cada posição pelo tempo que considerar apropriado. Depois de tocar o polegar com o dedo mindinho, una todas as pontas dos dedos em contato com o polegar, acima do chacra da mão, que é no centro da palma (fig. 13.3).

Visualize isso como uma aceitação completa de quem você é (sem julgamentos). Visualize suas mãos como botões de flor que contêm a essência de quem você é. A jornada da vida lhe trouxe até esse momento de realização pessoal. Leve-o com você, em seu coração, e saiba que sempre pode voltar a esse momento de graça. Quando sentir que é apropriado, encerre a prática e desative os chacras das mãos.

O polegar como testemunha

Antes de terminarmos esta parte do livro que lida com quiromancia e formato das mãos e dos dedos, uniremos tudo em um tipo de sistema elementar de Myers-Brigss. É importante ter uma visão geral dessas combinações de elementos para criar uma compreensão profunda de nós mesmos.

No capítulo 7, estabelecemos relações entre o formato da mão, os quadrantes e os montes. Essas características lidam com nossa disposição básica, nossos mecanismos de enfrentamento e as características que desenvolvemos, respectivamente. No capítulo 8, fomos apresentados às zonas e aos dedos. O fator relevante que observamos nas zonas é que nossos dedos formam a zona superior, associada aos aspectos mentais e etéreos, ou à consciência. Além dos canais de consciência, os dedos nos fornecem qualidades pessoais distintas.

Mais uma vez, voltamos a lidar com os quatro elementos dos dedos, deixando o polegar – o espírito – de lado, como testemunha. Lembro-me dos Yoga Sutras do grande sábio Patanjali. Ele explicou que nós somos o Observador e o Observado. O Observador é aquela parte de nossa consciência com a qual somos capazes de observar nossos próprios pensamentos e ações à medida que ocorrem.[156] O polegar é como o Observador testemunhando as ações do Observado, os dedos. Quando formamos o mudra Jnana, o polegar representa a consciência cósmica/divina. É parte de nós e, ainda assim, à parte. Desse modo, enquanto prosseguimos nessa análise, o polegar permanecerá de lado para testemunhar os desdobramentos.

Os dedos e a consciência

O primeiro passo para encontrar nosso canal de consciência é determinar qual é nosso dedo mais forte. Trabalhe com a mão dominante e compare os dedos. Procure o mais reto e que não tenha articulações nodosas.

Se você tiver sido abençoado com belas mãos e dedos perfeitos, use sua intuição para determinar qual é seu dedo mais forte. A maioria de nós não terá esse problema e, por meio do processo de eliminação, podemos encontrar o dedo que melhor se encaixa no perfil padrão ou equilibrado. Quando tivermos decidido sobre o dedo, podemos encontrar o elemento da consciência: o do dedo indicador é a água, o do médio é a terra, o do anular é o fogo e do mindinho é o ar.

---

156. Satchidananda, *Yoga Sutras of Patanjali*, p. 6.

Cada tipo de consciência elementar busca um objetivo específico e pode se expressar em quatro níveis diferentes: *físico, emocional, ativo* e *intelectual*. A consciência de água procura a união. Seus níveis de expressão são: fisicamente, ser gentil; emocionalmente, compartilhar sentimentos; ativamente, importar-se com os outros; e intelectualmente, dividir experiências. A consciência de terra busca a estrutura. Seus níveis de expressão são: fisicamente, manifestar-se; emocionalmente, simplificar; ativamente, estabilizar; e intelectualmente, preservar. A consciência de fogo busca se estender. Seus níveis de expressão são: fisicamente, melhorar as habilidades; emocionalmente, expressar-se por meio da ação; ativamente, alcançar objetivos; e intelectualmente, melhorar as estratégias. A consciência de ar busca a compreensão. Seus níveis de expressão são: fisicamente, ser objetivo; emocionalmente, ser imparcial; ativamente, obter conhecimentos; e intelectualmente, olhar para além do óbvio.

Visão geral dos elementos

A tabela 13.1 fornece uma visão geral dos elementos, das características e das qualidades a partir das quais podemos ter uma visão instantânea de nós mesmos. Também podemos saber se temos ou não um elemento dominante. A maioria de nós tem, já que seria estranho descobrir que cada uma das quatro áreas de nossa exploração quironômica produz, de forma igualitária, os quatro elementos. Da mesma forma, encontrar o mesmo elemento representando as quatro áreas também seria incomum.

Tabela 13.1. Quadro quironômico elementar

Formato da mão: disposição básica		
Terra	O prático	Forma e manifestação
Água	O sentimental	Emoção e mudança
Fogo	O intuitivo	Transformação
Ar	O intelectual	Sabedoria e conhecimento
Quadrante: mecanismo de enfrentamento		
Terra	Vigor físico	Estático/consciência
Água	Imaginação	Estático/subconsciência
Fogo	Aspirações	Ativo/consciência
Ar	Conhecimento	Ativo/subconsciência

Monte: características desenvolvidas		
Terra	Saturno – continuidade	ou Vênus – vitalidade
Água	Luna – consciência	ou Júpiter – independência
Fogo	Apolo – versatilidade	ou Marte (superior ou inferior) – coragem
Ar	Mercúrio – comunicação	
Dedo: consciência-guia		
Terra	Médio – A ponte	Busca estrutura
Água	Indicador – O líder	Busca a união
Fogo	Anular – O artista	Busca se estender
Ar	Mindinho – O comunicador	Busca compreender

Antes de prosseguir, reveja suas descobertas e anote os elementos do formato de sua mão, o monte predominante, o maior quadrante e o dedo mais reto. Depois de ter obtido esse instantâneo de sua composição elementar, retorne ao capítulo 7 e aos capítulos sobre cada dedo para rever com profundidade as combinações de energias quironômicas. Reconheça e aceite tudo o que você tiver aprendido sobre si mesmo, sendo ou não o que você esperava. Nesse ponto, depois de ter trabalhado com a energia de suas mãos, você saberá que tem o poder de definir quem você é. Quando estiver pronto, prossiga para o estudo quiromântico das linhas.

14

Introdução às Linhas da Mão

A quiromancia, estudo das linhas das mãos, fornece informações sobre nossos padrões e possibilidades psicológicas. No que se refere à previsão do futuro, não há nada de misterioso aqui. O futuro pode ser deduzido ao olharmos para os padrões do passado, que invariavelmente tendemos a repetir.

Ao pensarmos sobre as linhas traçadas em nossas mãos, podemos também imaginar há quanto tempo as pessoas têm tido reflexões sobre suas mãos. Pinturas e esculturas da Índia antiga mostram as mãos de deuses e deusas com marcas que parecem simbolizar a energia e talvez pontuar a localização dos chacras das mãos.

A arte budista com frequência retrata uma roda com oito partes no centro da palma. Imagens de Shichi Gutei Butsomo, a mãe de todos os Budas, contém uma cruz com braços de mesmo comprimento (antigo símbolo da energia vital) no centro de suas mãos.[157] As primeiras linhas realistas que surgiram em estátuas descrevem as linhas da Cabeça e do Coração de Buda.

As linhas de nossas mãos são frequentemente consideradas canais de energia. Esses canais e linhas mudam ao longo da vida, assim como nossos padrões energéticos. Quanto mais profunda a linha, mais energia está concentrada nessa área. As linhas têm sido chamadas de termômetros da qualidade de nossas vidas físicas e espirituais,[158] fornecendo pistas para alcançarmos o bem-estar mental e físico.[159] Como Gettings aponta, as linhas são a "expressão externa do conhecimento subconsciente".[160]

As linhas e sua quantidade variam muito de uma mão para outra. Algumas pessoas podem ter três ou quatro linhas, enquanto outras têm as mãos cobertas por uma trama de linhas. A simplicidade de linhas

---
157. Gibson, *Goddess Symbols*, p. 64.
158. Tomio, *Chinese Hand Analysis*, p. 122.
159. Reid, *Your Health*, p. 28.
160. Gettings, *Book of The Hand*, p. 127.

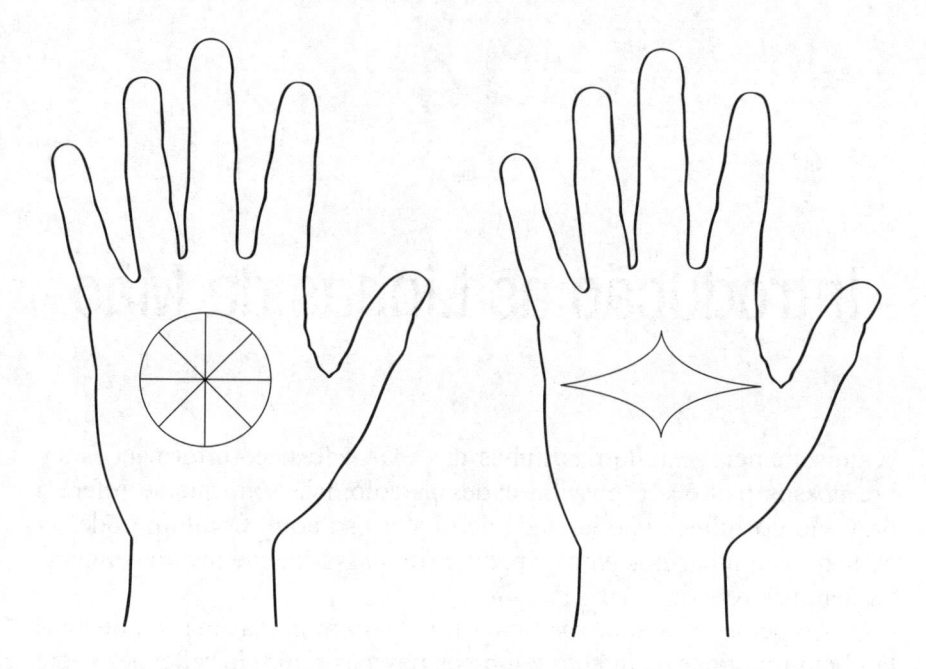

Figura 14.1. Símbolos de energia eram retratados nas mãos de estátuas hindu e budista antigas.

pode indicar uma vida bastante descomplicada – no mundo de hoje, isso parece difícil de imaginar. Apesar de haver uma grande diferença no modo pelo qual as linhas se manifestam, as linhas maiores e menores são encontradas, em geral, no mesmo lugar.[161] Há 14 linhas maiores e menores, que examinaremos em breve. Em seguida, investigaremos oito delas para nosso trabalho com os elementos.

Benham considerou a linha da Vida, do Coração, da Cabeça, de Saturno (destino) de Apolo e de Mercúrio[162] como as principais. Ele considerou as seguintes linhas como menores: o Anel de Salomão, o Anel de Saturno, o Anel de Vênus (também conhecido como Cinturão de Vênus), a linha da Afeição, de Marte e da Intuição e os Braceletes. Os Braceletes, em geral três, são os vincos do pulso. Ele considerou a linha Via Lascivia (hoje, mais comumente chamada de linha da Alergia) como uma linha de "sorte". Qualquer linha que não fosse classificada como principal ou menor era chamada linha da sorte ou da preocupação.[163] Desde a época de Benham (o início do século XIX), quatro

---

161. Benham, *Laws*, p. 356.
162. Ibid.
163. Ibid., p. 357.

linhas passaram a ser consideradas linhas maiores, e as linhas restantes, como menores.

As linhas maiores são: da Vida, do Coração, da Cabeça e do Destino e se desenvolvem nessa ordem. As primeiras três surgem quando o feto tem aproximadamente quatro meses.[164] A linha do Destino se desenvolve mais tarde e muitas pessoas nascem sem ela.

Quase todas as grandes linhas estão presentes na maioria das mãos. A tabela 14.1 demonstra a ocorrência das grandes linhas de acordo com o formato elementar da mão. As porcentagens baseiam-se em uma pesquisa com mil pessoas.[165]

Tabela 14.1. As maiores linhas, de acordo com os tipos elementares

Mão e linha	Ar	Fogo	Terra	Água
Vida	100%	100%	100%	100%
Coração	97%	90%	97%	98%
Cabeça	95%	94%	86%	94%
Destino	74%	76%	58%	67%

Como podemos ver, a linha da Vida está sempre presente. A falta das linhas da Cabeça ou do Coração é rara, mas não tanto. A linha do Destino forma-se mais tarde do que as outras três e, com frequência, não está presente. A linha do Símio é rara. A anomalia, chamada linha do Símio, ocorre quando as linhas da Cabeça e do Coração se formam como uma só e parecem uma prega que atravessa a parte superior da mão. Essa linha manifesta-se de muitas formas e níveis. Por exemplo, ela pode ser um sinal de que as ambições intelectuais e emocionais estão em desacordo umas com as outras. Essa linha é com frequência encontrada em mãos criativas, em que a criatividade "se origina de uma agonia interna que busca a libertação".[166]

As linhas menores, que nem sempre estão presentes, podem ser consideradas como "reflexos" das linhas maiores, pois elas sustentam nossas energias sutis.[167] As linhas maiores relacionam-se às funções básicas e ao curso da vida. Simplificando, as linhas maiores demonstram uma "direção mental primária", enquanto as menores revelam uma "orientação

---

164. Reid, *Your Health*, p. 28.
165. Gettings, *Book of The Hand*, p. 126.
166. Ibid., p. 145.
167. Tomio, *Chinese Hand Analysis*, p. 130.

inconsciente".[168] Juntas, essas linhas são a manifestação de nossa complexa interação entre energia fundamental e orientação psicológica.

Linhas predominantes revelam as orientações psicológicas com as quais nos sentimos mais confortáveis. Ao longo do tempo, as linhas podem surgir onde antes não havia nada, podem mudar de comprimento e de profundidade e, às vezes, desaparecer. De acordo com Benham, as mudanças "seguem impressões profundas realizadas na mente".[169] Além disso, as linhas podem mudar, assim como nossa saúde e nossa constituição mudam. Novas linhas que se formam indicam a emergência de novas emoções e ideias.

Como já foi mencionado, quando uma linha não é considerada grande nem pequena, normalmente é chamada linha da sorte ou da preocupação. Quando elas passam de um monte a outro, podemos encontrar uma conexão com as características dos montes. Essas linhas subsidiárias mudam, conforme nossas atitudes, de forma mais frequente do que as linhas principais. Manter um diário de impressões das mãos pode capturar a evolução dessas mudanças.

Ao observar as linhas das duas mãos, podemos traçar nosso desenvolvimento. A mão não dominante revela nossos potenciais e a direção que provavelmente seguiremos. Não prevê o futuro, pois temos livre-arbítrio. Nossa mão dominante demonstra onde estamos em nossa jornada. Podemos ter alcançado os potenciais revelados por nossas mãos ou podemos ter seguido outra direção. Como veremos, cada linha representa uma forma específica de energia conectada com certos objetivos.

As linhas e os elementos

Alguns quiromantes consideram apenas três linhas principais – aquelas formadas durante o estágio fetal – e não levam em conta a linha do Destino, considerando-a uma linha menor. Em virtude de sua presença nas mãos das pessoas, muitos outros a incluem como linha principal. Como veremos, a linha do Destino equilibra as outras três, de forma elementar. E para nossos propósitos, utilizaremos quatro linhas principais: da Vida, do Coração, da Cabeça e do Destino, e as quatro linhas menores dos Braceletes, do Anel de Vênus, de Mercúrio e de Apolo. Nos capítulos seguintes, analisaremos essas linhas em profundidade, mas, primeiramente, veremos como se relacionam, de forma elementar, com os quadrantes e montes.

---

168. Ibid., p. 132.
169. Benham, *Laws*, p. 345.

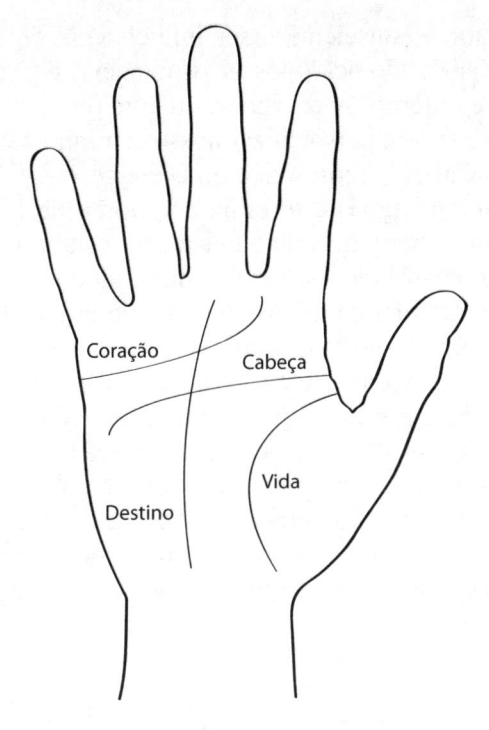

Figura 14.2. As quatro linhas principais: da Vida, do Coração, da Cabeça e do Destino.

A linha da Vida representa o elemento terra. Ela começa na área consciente ativa da mão, perto do Monte de Marte, que fornece o elemento fogo – uma faísca que ativa o barro da terra para que se manifeste no mundo. A linha da Vida atravessa o Monte de Vênus (terra), mantendo-nos ligados aos nossos corpos, e termina na área consciente estática da mão. A linha da Vida começa no fogo e termina na terra. Contendo os dois quadrantes e os montes, ela é um estabilizador que punciona nossa quietude interior para se tornar um receptáculo que preserva e equilibra nossa energia.

A linha do Coração representa o elemento água. Ela começa na área subconsciente ativa da mão, abaixo do Monte de Mercúrio (ar). Termina na área consciente ativa, abaixo do Monte de Júpiter ou entre os montes de Júpiter e de Saturno (água e terra, respectivamente). Apesar de a linha do Coração, em sua parte final, ter o apoio da água e possivelmente da terra dos montes, o quadrante de fogo contrapõe-se ao elemento água. Contudo, esse atrito potencial entre opostos nos lembra de que precisamos prestar atenção às nossas emoções e à nossa intuição. Ao fluir do subconsciente para o consciente e ser influenciada de todos os quatro elementos, a linha do Coração possui o potencial de equilibrar nossos mundos interno e externo. A energia resultante dessa linha nos permite identificar quem somos e personalizar nosso caminho pela vida.

A linha da Cabeça, representando o elemento ar, começa abaixo do Monte de Júpiter (água) e termina no Monte de Luna (água). Ela flui do consciente ativo para o subconsciente estático, do fogo para a água, mas, em seu caminho, passa pelo quadrante de ar, que age como um sustentáculo. Os elementos principais que atuam na linha da Cabeça são o ar e a água – vento e água (*feng shui*) –, criando uma força elementar poderosa. A energia da linha da Cabeça também pode nos colocar em equilíbrio por meio da comunicação e da compreensão.

A linha do Destino, a linha do fogo, começa no quadrante de água subconsciente estático e sobe pelas áreas consciente ativa ou subconsciente ativa de fogo e ar. Ela começa no Monte de Luna (água), apesar de poder surgir entre Luna e Vênus (terra). Pode terminar perto dos montes de Apolo, Saturno ou até mesmo de Júpiter (fogo, terra, água).

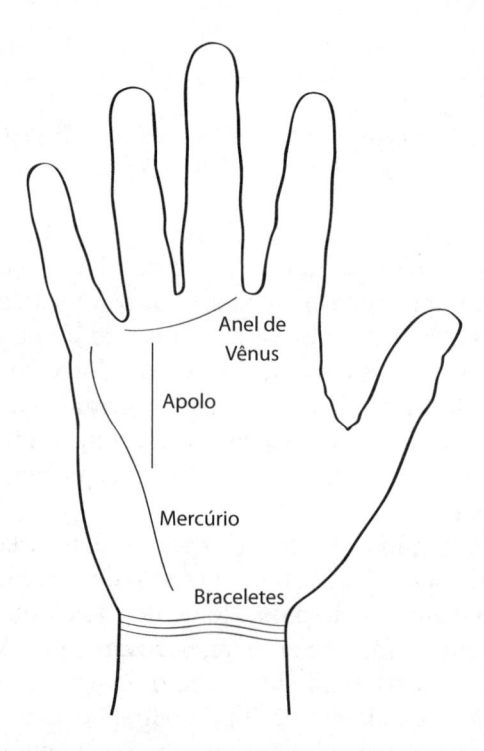

Figura 14.3. As linhas menores: os Braceletes, o Anel de Vênus e as linhas de Mercúrio e de Apolo.

Essa linha de fogo é como uma chama trêmula – pode tocar em todos os quadrantes, em todos os elementos e ainda encarar somente seu elemento oposto, de água, nos montes. A energia dessa linha pode nos guiar e direcionar, assim como nos apresentar desafios.

Pares de linhas elementares

A energia elementar de cada linha principal associa-se a uma linha menor que reflete sua energia e ajuda a nos deixar em equilíbrio. O elemento terra tem na Vida sua principal linha e nos Braceletes suas linhas menores. A linha da Vida associa-se ao corpo físico e à vitalidade básica. Os Braceletes estão ligados à nossa constituição física, assim como à nossa habilidade de lidar com problemas e com o estresse.

O elemento água, como já vimos, relaciona-se à linha do Coração. O coração está associado às emoções e à maneira pela qual as expressamos. A linha menor é o Anel de Vênus, que se relaciona com a sensibilidade emocional, o calor e o gosto pela vida.

O ar tem na linha da Cabeça a sua principal, o que deveria ser esperado, já que aprendemos como a mente e o intelecto estão associados a esse elemento. Sua linha menor é a linha de Mercúrio, que se relaciona com o equilíbrio do corpo e da mente.

O elemento fogo tem na flamejante linha do Destino sua linha principal, e na de Apolo, sua linha menor. A linha do Destino não se refere ao destino ou a algo previamente determinado, mas à direção e aos objetivos. Nossa liberdade nos dá a habilidade de escolher uma direção na vida. Podemos ter potencial para trilhar um certo caminho, mas isso não significa que temos de trilhá-lo. Na verdade, a maioria de nós tem potencial em várias áreas, então escolher um caminho não significa que não viveremos de acordo com nosso verdadeiro potencial. A vida nos apresenta muitos caminhos e é importante para alguns de nós explorar mais de um, para encontrar aquele que melhor combina. A linha de apoio Apolo fornece um canal para desenvolver os talentos em qualquer direção que escolhermos seguir.

Enquanto uma linha profunda, bem definida, indica onde reside ou se direciona nossa energia, a falta de uma linha indica uma área sem importância para nós. Isso significa que nosso foco está em outro lugar. A falta de uma linha menor específica não deve gerar preocupação. A falta de uma linha principal é significativa (apesar de a falta da linha do Destino não ser tanto) e isso é algo que deve ser explorado, mas não comece a se preocupar com isso. A autoexploração é o que vale.

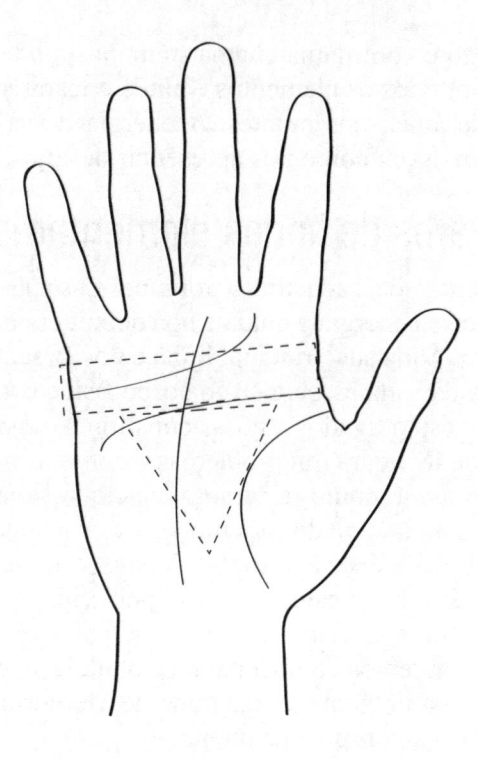

Figura 14.4. O Quadrilátero e o Grande Triângulo em relação às linhas maiores.

O quadrilátero e os triângulos

Também conhecido como a "mesa da mão",[170] o Quadrilátero envolve as linhas do Coração e da Cabeça. Em estreita proximidade e associação, essas linhas, que representam a emoção e a mentalidade, são componentes entrelaçados do que somos. Gettings comparou-as a um conjunto de escalas que precisam ficar em equilíbrio para que sejamos saudáveis, mas essas escalas são facilmente ultrapassadas.[171]

Quando o espaço entre as linhas do Coração e da Cabeça é uniforme, a pessoa possui uma disposição equilibrada. Isso também indica alguém liberal, que não julga e tem bom senso de humor. Um espaço estreito demonstra visão mais estreita e a tendência a fazer julgamentos apressados. Se as linhas estão bem próximas, a pessoa pode ser tímida e não muito espontânea. Um Quadrilátero maior nas extremidades do que no centro indica uma pessoa especialmente direta e honesta.

---
170. Frith e Allen, *Chiromancy*, p. 138.
171. Gettings, *Book of The Hand*, p. 137.

Linhas pequenas dentro do Quadrilátero, que formam uma cruz abaixo do dedo médio, indicam interesse pelo misticismo. Uma cruz perto ou no Monte de Marte Inferior (parte externa da mão) sinaliza viagem. O formato de estrela em qualquer lugar do Quadrilátero demonstra uma pessoa honesta e bem-intencionada.

No centro da palma, há uma área conhecida como o Grande Triângulo. Esse triângulo é definido principalmente pelas linhas da Vida e da Cabeça. Pode ser visto com mais clareza se a linha de Mercúrio estiver presente, mas pode ser definido em um lado pelo Monte de Luna. Um triângulo bem definido, com lados iguais, indica boa saúde e vigor. Quando o triângulo for largo, a pessoa terá "visões amplas e generosidade", assim como lucidez da mente.[172] O centro da palma, na área da Planície de Marte, também forma uma cavidade costumeiramente denominada Cavidade de Diógenes, por causa do filósofo grego.[173] Quando é particularmente côncava, é denominada Poço da Sensibilidade, indicando uma pessoa profunda e sensível.

Um triângulo menor, em geral da metade do tamanho do Grande Triângulo, é formado pelas linhas da Cabeça, do Destino e de Apolo. Esse triângulo indica sucesso em atividades que exijam o intelecto.

Prática: ativando a energia do Grande Triângulo

Em razão do fato de o Grande Triângulo envolver o chacra da mão, ele me lembra das estátuas hindus ou budistas, com símbolos geométricos no centro de suas palmas. Então, mais uma vez, trabalharemos com a energia do chacra da mão, pois ele é muito poderoso.

Prepare-se para o trabalho energético do melhor jeito e, quando tiver ativado os chacras das mãos, comece a traçar um triângulo ao redor do centro de sua palma dominante. Se você tiver conseguido enxergar o Grande Triângulo com clareza, trace-o utilizando as linhas. Se não, simplesmente desenhe um triângulo imaginário com o dedo indicador de sua outra mão.

Enquanto desenha o triângulo lentamente e por repetidas vezes, visualize a energia fluir das linhas maiores e menores, como destacado neste capítulo. Observe o que vem à mente enquanto você visualiza cada linha e acompanha cada pensamento sobre as qualidades das linhas na medida em que se relacionam com você. Não faça julgamentos sobre nada que surgir. Pense em como você pretende mudar alguns aspectos

---
172. Phanos, *Elements of Hand-Reading*, p. 76.
173. Napier, *Hands*, p. 58.

que não o satisfazem. Mantenha em mente que não existe sucesso da noite para o dia. A transformação requer tempo, mas se inicia com a intenção.

Quando a meditação tiver seguido seu curso, pare de desenhar o triângulo. Sente-se em silêncio por alguns minutos para absorver a experiência. Você pode querer anotar as informações que parecerem importantes para serem revisadas posteriormente, enquanto continuamos nosso estudo das linhas.

15

A Grande Terra: a Linha da Vida

Como vimos, a linha da Vida, também chamada – talvez de forma mais precisa – de linha Vital, está presente em todas as mãos. Enquanto muitas tradições de quiromancia usaram-na como uma linha do tempo para calcular a duração da vida, outras não a enxergam como uma medida de tempo, nem como referência de quando grandes eventos acontecerão na vida da pessoa. Para nossos objetivos, a linha da Vida servirá como medida da qualidade da energia vital que podemos acessar.

A linha da Vida demonstra nossa vitalidade básica, em conjunto com as linhas da Cabeça e do Coração, que indicam como essa vitalidade é utilizada. Ela demonstra nossa saúde geral ou potencial, assim como a herança genética. Quando estudamos a linha da Vida, olhamos para seu comprimento, sua força (profundidade), sua qualidade e seu curso.

O comprimento da linha da Vida relaciona-se à quantidade de energia vital que possuímos. Sua força e sua qualidade têm ligação com a intensidade ou com o poder dessa energia. O curso da linha relaciona-se à direção ou ao caminho que nossa força vital segue. Quando falamos do curso de uma linha, também estamos olhando para seus pontos de início e de término. Em uma mão de terra, a linha da Vida tende a ser a mais profunda e forte. Em uma mão de água, é a mais incerta das linhas.

A linha da Vida cria uma conjunção significativa entre o polegar, o dedo indicador e o Monte de Vênus. Esse é o lado consciente da mão, nossa vida exterior que interage com o ambiente. Nós exploramos, absorvemos informações e nos expressamos com esse lado da mão. Essa é uma razão pela qual a linha da Vida está emparelhada com a linha de Mercúrio (também conhecida como linha da Saúde), que também se relaciona ao corpo físico. Contudo, a linha de Mercúrio se relaciona principalmente ao nosso Eu interior e à conexão entre corpo/espírito. À medida que trabalhamos com as linhas de terra, podemos manter-nos em equilíbrio com nosso Eu e com o mundo que nos cerca.

O caminho

A localização mais comum para o início da linha da Vida é entre o polegar e o dedo indicador, bem acima do ponto que divide as áreas ativa e estática da mão. Isso fornece uma estrutura unificadora entre a mente e o corpo. Sua localização é abaixo do Monte de Júpiter, sob o dedo indicador, e acima ou em cima do Monte de Marte, de onde ela recebe sua faísca de fogo. Apesar de essa faísca dar vida ao barro da terra e fazer com que nosso corpo físico se manifeste, a linha da Vida que começa nesse monte pode fornecer fogo demais, o que se evidenciaria por meio de um temperamento inflamável.

Quando a linha da Vida está no Monte de Júpiter ou perto deste, ela se baseia no elemento água, que acrescenta sensibilidade à vitalidade da pessoa. Isso a ajuda a se tornar mais antenada aos sinais e à sabedoria do corpo.

Em relação à linha da Cabeça, a linha da Vida possui três possíveis pontos de partida (fig. 15.1). Quando ela começa no alto do Monte de Júpiter, está acima da linha da Cabeça. Na segunda posição, ela se junta à linha da Cabeça. Na terceira, fica abaixo da linha da Cabeça e há um espaço entre elas.

Quando a linha da Vida começa na primeira posição, acima da linha da Cabeça, no Monte de Júpiter, ela não somente é influenciada pelo elemento água, como também capta algumas características de Júpiter, como a ambição. Isso, em geral, direciona a energia para algo específico, fazendo da linha da Vida um canal para a manifestação de objetivos. Isso deu motivos para que ela fosse chamada de "linha da ambição".[174]

A segunda posição, na qual ela se inicia junto com a linha da Cabeça, indica que a energia física da pessoa é controlada, em parte, pela mente. Quando essas duas linhas unidas não parecem muito fortes, a timidez e/ou a falta de confiança podem ser evidentes. Se elas são "inconsistentes ou fracas", a pessoa precisa regular seu ritmo para evitar uma exaustão.[175] Uma bifurcação clara ou um desvio das linhas indica um caráter perspicaz. Isso é algo bom, mas até certo ponto: a teimosia

---

174. Napier, *Hands*, p. 130.
175. Reid, *Your Health*, p. 68.

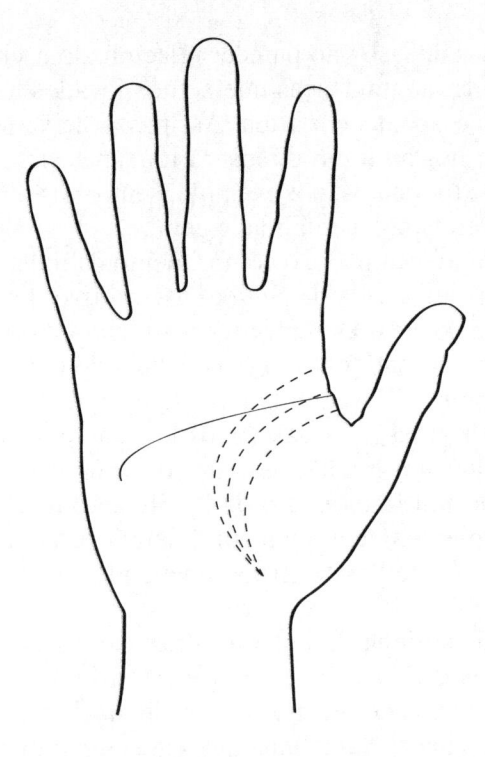

Figura 15.1. Possíveis pontos de partida da linha da Vida, em relação à linha da Cabeça.

ou a frieza que podem surgir geralmente interferem nos relacionamentos. Quanto maior o trecho em que essas duas linhas seguem unidas, maior o grau de perspicácia.

A terceira posição de início, abaixo e completamente separada da linha da Cabeça, indica uma atitude desinibida. À primeira vista, isso pode ser bom para alcançar objetivos; porém, o lado negativo é que a pouca racionalização por trás da ação pode não ser algo bom, já que com frequência resulta em um comportamento impulsivo.

Pelo do fato de essa linha estar associada à nossa vitalidade física, quando ela tem muitos encadeamentos (parecem mais elos de uma corrente do que uma linha) isso indica irregularidade no condicionamento físico e na saúde. Uma linha forte, sem correntes, significa que a pessoa possui boa constituição e um alto nível de vitalidade.[176] As quebras podem sinalizar uma mudança na saúde, mas é mais provável que indiquem um rompimento com as tradições ou uma mudança no estilo

---

176. Gettings, *Book of The Hand*, p. 130.

de vida.[177] Apesar de isso não parecer relacionado à vitalidade, encare da seguinte forma: as mudanças que somos levados a fazer em nosso estilo de vida não acontecem à toa. Assim, se deixamos de atender à necessidade que nos atrai em direção à mudança, isso pode gerar um impacto negativo (podemos, por exemplo, sentir-nos refreados). No fim das contas, isso afeta nossa vitalidade geral.

Como já foi mencionado, o comprimento da linha não indica quão longa (ou curta) será a vida da pessoa. Além disso, uma linha da Vida curta não indica doença. O comprimento relaciona-se à nossa habilidade de equilibrar as energias internas. Afinal de contas, o objetivo da linha da Vida é preservar e equilibrar nossa energia. Possuir muita energia pode ser bom, mas se a gastarmos constantemente, sem repô-la, estaremos fazendo um grande desserviço a nós mesmos. A linha da Vida serve como um termômetro da habilidade de cuidarmos de nós mesmos nesse sentido. Uma linha curta demonstra que precisamos ser mais cuidadosos e escolher de forma sábia onde queremos colocar nossa energia.

O curso ou caminho da linha da Vida está associado à qualidade do Monte de Vênus. Uma linha que rodeia um monte alto demonstra uma "reserva poderosa de energia" que sustenta alguém completamente envolvido com a vida.[178] Uma linha que segue um curso muito próximo ao polegar pode reduzir o Monte de Vênus e, assim, afetar a quantidade de energia disponível. Isso também pode vir acompanhado de uma falta de calor pessoal, pois a afeição, a empatia e a paixão foram espremidas para fora da reserva de energia que esse monte contém.

Em alguns casos, a linha da Vida inicia-se com um arco, mas em seguida parece fazer um formato de S. Isso é chamado de final "errante" e indica um desejo por mudança,[179] o que fica evidente pela linha que aponta em direção ao Monte de Luna, cujo elemento é a água. Se o arco do S começa em cima, no Monte de Júpiter, é possível que a linha da Vida comece e termine no elemento água. Esse aumento de água pode trazer mais emoção e sensibilidade para a vida da pessoa. Porém, isso pode fazer com que o objetivo da linha da Vida se torne mais difícil de ser alcançado. Por ser da terra, a linha da Vida, como vimos anteriormente, torna-se o receptáculo que preserva e equilibra nossa energia vital. Um receptáculo não pode ser criado a partir de algo sem forma

---

177. Hipskind Collins, *Hand From A to Z*, p. 120.
178. Gettings, *Book of The Hand*, p. 135.
179. Tomio, *Chinese Hand Analysis*, p. 145.

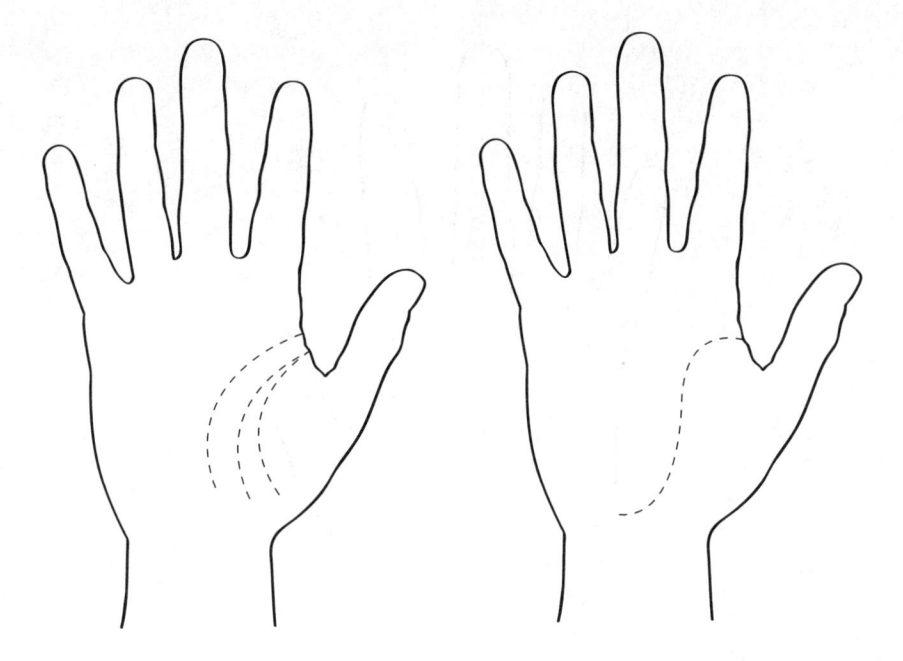

Figura 15.2. À esquerda, vários padrões comuns de arcos. O arco em S está à direita.

(por exemplo, a água), portanto, equilibrar a energia da força vital pode se tornar difícil quando não há um reservatório de onde extraí-la.

Dependendo de quão equilibrado está o restante da mão, esse formato em S pode na verdade funcionar como um rio, resultando em alguém capaz de se confrontar com muitas mudanças e com um fluxo de vitalidade interminável. A estabilidade é um desafio constante, porém, mais uma vez, isso pode não ser um problema sério se o restante da mão estiver em equilíbrio.

Seja uma curva em S ou um arco amplo que leve a linha da Vida para o Monte de Luna, outro aspecto a ser considerado é se a linha termina na área subconsciente estática da mão. Isso pode ser bom para a energia criativa, mas a força da energia vital que está direcionada para os sonhos e para a imaginação pode causar instabilidades na vida da pessoa.

Outros fatores

Como acabamos de ver, uma linha da Vida curta indica energia limitada; contudo, há outras coisas a ser observadas em relação a isso. A linha curta

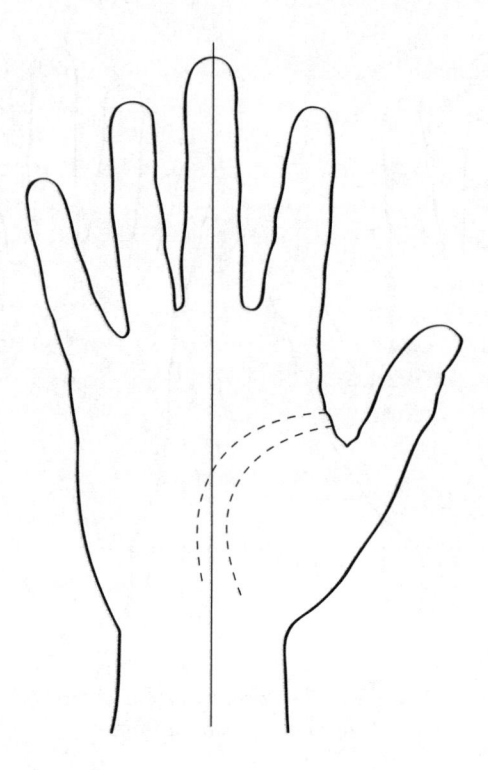

Figura 15.3. Descubra se a linha de terra termina em água.

que parece ser tecida por linhas menores e mais fracas indica que a energia e a atividade física podem ocorrer em jatos. Isso também vale quando uma linha da Vida curta parece uma série de elos de uma corrente. Se esse é o caso, observe padrões de atividade e note se os níveis de energia variam entre alto e baixo em vez de permanecerem estáveis. Isso também indica mudanças emocionais, então observe qualquer variação de humor. É importante criar formas de estabilizar os níveis de atividade, pois níveis altos podem causar exaustão. Lembre-se, não precisamos alcançar as estrelas para sermos uma delas. Descobrir uma forma de manter um nível energético consistente nos manterá em um barco equilibrado, que poderá nos levar onde quisermos. A história da lebre e da tartaruga transmite uma sábia lição para quem está nessa situação.

Uma quebra na linha da Vida pode ser significativa, mas outras linhas paralelas podem dar apoio a ela, reduzindo, assim, a seriedade da quebra.[180] Uma quebra que também tem uma lacuna demonstra que

---

180. Gettings, *Book of The Hand*, p. 130.

algum tipo de trauma físico ocorreu. O tamanho da quebra é um sinal da seriedade do trauma.

O corte de uma linha indica uma mudança na vitalidade, na atividade ou nas circunstâncias da vida. Como na vida em geral, há inícios e pausas; em alguns momentos, nós nos movimentamos para a frente ao mudarmos de caminho e, em outros momentos, precisamos fazer uma pausa e pensar.

Assim como ocorre com qualquer linha, uma linha da Vida profunda indica um fluxo de energia forte e estável. Quando a linha não é tão profunda, há um baixo nível de vitalidade e a pessoa necessita de alimento. Quando a linha da Vida não possui uma profundidade consistente, podem ocorrer mudanças na saúde e na vitalidade em vários momentos.

Uma linha da Vida que segue um arco amplo revela alguém extrovertido capaz de lidar com qualquer coisa que a vida lhe apresentar. Além de revelar introversão, um arco estreito pode também indicar relacionamentos contidos. Com a vitalidade limitada, as pessoas podem achar difícil manter o caminho que escolheram para suas vidas. Esse é outro caso a ser examinado com cuidado e deve-se reavaliar o que está acontecendo em nossas vidas, assim como a raiz de nossos valores. Por exemplo, as pessoas podem ter uma ética de trabalho que as leva a acreditar que a única forma de obter sucesso é pressionando-se constantemente, para além do nível da exaustão. Isso não somente prejudicará sua saúde, como impedirá que alcancem o nível de sucesso que procuram.

Um arco quebrado – que começa estreito e termina amplo – indica uma mudança em curso. Isso provavelmente significa que a vida daquela pessoa será muito diferente da vida de seus pais ou do modo pelo qual começou a viver. O contrário – começar amplo e terminar estreito – indica uma mudança incomum em direção a uma situação mais restritiva. Um arco com várias quebras demonstra que a vida da pessoa teve algumas interrupções em termos de relacionamento, educação ou carreira.

Em alguns casos, o arco pode ter quebras que se sobrepõem, o que indica uma mudança na personalidade. Um arco que fica cada vez mais amplo sinaliza alguém que está se tornando mais extrovertido; o contrário demonstra alguém que está se tornando tímido e introvertido. Quando o arco contém várias linhas que correm em paralelo, um período de incerteza está acontecendo. Sobreposições também demonstram a habilidade para começar de novo ou crescer em uma nova direção.

Quando a linha da Vida corre com a linha da Cabeça como se fossem elos de uma corrente, isso indica uma pessoa que oscila entre tendências introvertidas e extrovertidas. Apesar de essa pessoa se expor com facilidade, ela se sente mais confortável em situações menos sociais.

Marcas que surgem na linha da Vida possuem indicações específicas. Pequenas barras que cruzam a linha demonstram uma interrupção de energia. Linhas mais longas que se movem para fora indicam que a energia do fogo está sendo deixada de lado, pois o impulso extra não é necessário. Quando essas linhas se direcionam para dentro, em direção ao Monte de Vênus ou acima deste, a energia de fogo está sendo internalizada. Linhas mais longas cruzando a linha da Vida revelam um desequilíbrio da energia mente/corpo.

Prática: ativando a energia da força vital

A acupressão e a acupuntura utilizam um ponto do Monte de Vênus na mesma área do ponto 10 do meridiano do Pulmão (P10) da Medicina Tradicional Chinesa (fig. 15.4). Como foi mencionado no capítulo 13, esse ponto é utilizado para tratar de dores de garganta e resfriados. Não é surpresa que esteja também associado ao chacra da garganta.[181] Apesar de isso parecer discrepante e sem relação com o que aprendemos sobre a linha da Vida pela quiromancia, na Medicina Tradicional Chinesa os pulmões são os mestres do *chi*, a força da energia vital. Isso também vale na medicina indiana aiurvédica, na qual essa energia, chamada *prana*, fornece os blocos de sustentação da vida. O meridiano do Pulmão faz uma conexão com o ambiente exterior por meio da garganta; assim, percebemos como tudo está entrelaçado.

Em usos tradicionais, o P10 é utilizado para limpar a garganta e os pulmões. Energeticamente, ele é usado para remover estagnações e desbloquear fluxos energéticos. P10 também é um Ponto da Nascente, o que significa que seu fluxo energético flui como água em uma nascente. O termo Ponto da Nascente significa "surgir do solo".[182] Em nossa prática, usaremos essa área da mão para nos conectarmos com a terra e com a força de energia vital.

Para começar, prepare-se para a meditação do modo que melhor funcionar para você. Ative os chacras das mãos e, então, coloque o dedo médio (dedo de terra) de sua mão não dominante no ponto P10, mais

---
181. Saint-Germain, *Karmic Palmistry*, p. 89.
182. Ros, *Ayurvedic Acupuncture*, p. 150.

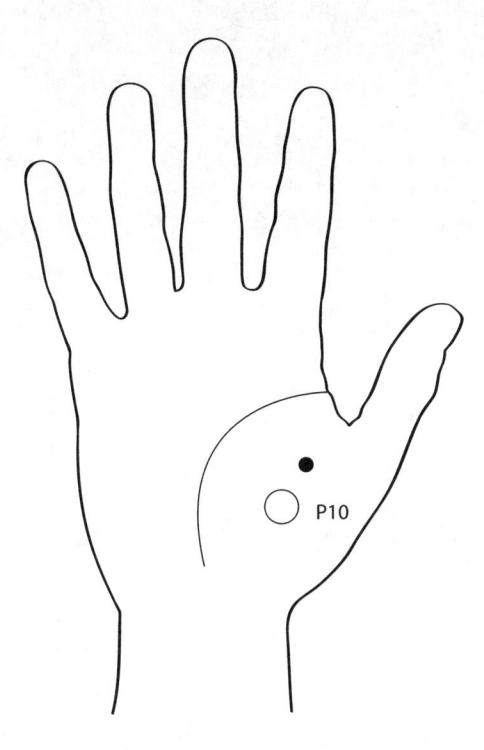

Figura 15.4. Um ponto de acupressão (ponto preto) e o ponto P10 do meridiano do Pulmão em relação à linha da Vida.

ou menos no meio do osso metacarpo do polegar, dentro do arco da linha da Vida. Os metacarpos são os ossos do polegar e dos dedos que estão dentro da mão. Coloque uma leve pressão em sua mão, enquanto foca em seus pés ou então nos "ossos do bumbum" em contato com o chão e, indiretamente, com a terra.

Visualize a energia da terra viajando através do chão, por seus pés e por seu corpo e até o ponto P10 de sua mão. Sinta essa energia curadora crescer junto com a linha da Vida e, então, disperse-a por todo o corpo. Você pode ter uma forte sensação de estrutura e força enquanto se conecta energicamente com a terra. Essa energia irá mantê-lo e sustentá-lo, e sempre estará disponível.

Deixe que a visualização siga seu curso e, então, desative os chacras das mãos, encerrando a meditação quando sentir necessidade.

16

A Grande Água: a Linha do Coração

Conhecida como linha do Coração e linha do Amor, essa linha da mão principal e elevada se relaciona com nossa vida emocional, com relacionamentos e paixões. Nesse sentido, a paixão envolve o amor, assim como um grande entusiasmo por uma ideia ou obra. Interpretações antigas da linha do Coração relacionavam-na exclusivamente com o amor e/ou com a sexualidade; porém, precisamos olhar para isso com outro enfoque, pois nossa cultura mudou e hoje contém diferentes valores, visões e éticas. Além disso, quando falamos de amor, não falamos de um mero sentimento, como no passado, mas de algo mais profundo. Talvez porque ela comece abaixo do Monte de Mercúrio (ar/comunicação), a linha do Coração também indica nossa habilidade de expressar nossos sentimentos e afeições em vários níveis: verbal, não verbal e energeticamente.

    A linha do Coração "sempre começa na mesma área" da mão, demonstrando um "padrão ao qual toda a humanidade se submete".[183] Esse padrão são as experiências emocionais que formam os fundamentos de nossa comunicação diária. As qualidades particulares da linha do Coração sustentam e se manifestam por meio de outros aspectos da mão. Por exemplo, um dedo indicador forte com suas qualidades de água indica a habilidade de expressar emoções. Com uma estabilidade emocional, as qualidades do polegar de autoconfiança e determinação sustentam-se. Desconsiderando o elemento principal da mão, uma linha do Coração forte fornece a habilidade para expressão emocional em nossas vidas diárias.

---

183. Tomio, *Chinese Hand Analysis*, p. 154.

Como sabemos, a água é um elemento essencial para a sobrevivência da vida. Assim como a água, as emoções são essenciais para nossa capacidade de experimentar a vida, e também a fortalecem. A energia emocional, como a água, pode fluir suavemente e ser tranquila, ou agitada e turbulenta.

A linha do Coração é a segunda linha a se desenvolver (depois da linha da Vida). Ela se inicia na área subconsciente ativa da mão, abaixo do Monte de Mercúrio (ar), e flui para a área consciente ativa. Ela pode tocar os montes de Saturno (terra) e de Júpiter (água) no quadrante de fogo. Sua jornada faz com que tenha contato com todos os quatro elementos. Em virtude do fato de fluir do subconsciente para o consciente, ela pode trazer para a superfície pensamentos e sentimentos, permitindo que equilibremos nossos Eus interior e exterior. A linha do Coração, como a emoção, vem de dentro e se move para fora. Essa energia nos permite identificar quem somos e personalizar nosso caminho pela vida.

A linha do Coração emparelha-se com o Anel de Vênus, que segue em direção oposta. A princípio, isso pode parecer um conflito em potencial, mas, na verdade, oferece apoio. Isso será contemplado mais tarde, quando explorarmos as linhas menores.

Gettings afirmou que a linha do Coração era um "canal transportando energias do inconsciente para o consciente".[184] A energia da grande linha de Água flui para o Monte de Júpiter (água para água), o que representa o indivíduo. Nem todas as linhas do Coração chegam tão longe e examinaremos isso na próxima seção. O comprimento, a qualidade e o curso da linha revelam as "características emocionais da pessoa".[185]

A emoção não é um aspecto isolado que pode ser estudado separadamente, é parte integral de nossas experiências e de nossa consciência. As emoções nos ajudam a "lembrar, relatar e regenerar" nossas experiências em vida.[186] Como consequência, a linha do Coração reflete níveis de consciência aos quais geralmente não temos acesso. Além disso, no que concerne à saúde física, essa linha revela a condição do nosso sistema circulatório, assim como dos fluidos de corpo. Como esperado, o metabolismo e a emoção estão intimamente ligados. Eles se apoiam e se complementam, assim como também se desequilibram. Em certo sentido, podemos dizer que a linha do Coração conecta o corpo, a mente e o espírito.

---

184. Gettings, *Book of The Hand*, p. 140.
185. Ibid.
186. Tomio, *Chinese Hand Analysis*, p. 154.

Como vimos ao longo deste livro, cada parte da mão (seu formato, seus montes e dedos) está associada a um elemento que influencia e interage com outras características da mão. Quando a linha do Coração é a linha mais pronunciada da palma, podemos observar o formato da mão para ter uma orientação geral sobre nosso modo de nos expressarmos emocionalmente. Uma mão de água traz a habilidade de responder às pessoas e às situações de maneira intuitiva. Também nos permite ser receptivos e adaptáveis às mudanças (seguir o fluxo). Uma mão de terra fornece respostas mais instintivas, além de comunicação não verbal e linguagem corporal fortes. Uma mão de fogo nos ajuda a acessar de forma mais rápida os sentimentos e as experiências subconscientes e manifestá-las na mente consciente para então agirmos com base nelas. Uma mão de ar oferece a habilidade para nos comunicarmos livremente nos níveis verbal, não verbal e energético.

O caminho

Apesar de o ponto de início da linha do Coração variar muito pouco, seu curso e seu ponto final (ou pontos) podem variar muito.[187] Ela pode se ramificar em direção à linha da Cabeça ou pode se bifurcar, seguindo para cima e para baixo. Como vimos, a linha do Coração começa na parte lateral da mão, abaixo do Monte de Mercúrio, e segue por baixo dos montes, terminando, em geral, abaixo do Monte de Júpiter ou entre os montes de Júpiter e de Saturno.

Se ela começar em um ponto elevado e bem no Monte de Mercúrio, as emoções podem ser excessivas a ponto de se ter pouco ou nenhum autocontrole. A linha do coração que começa baixa no Monte de Marte indica um controle emocional rígido e o desejo de ser cuidadoso e prudente nos relacionamentos.

Uma linha do Coração de comprimento médio pode alcançar o Monte de Júpiter, mas é comum terminar entre os montes de Júpiter e de Saturno. Quando a linha é clara e forte e termina entre esses montes, isso indica a habilidade de ter relacionamentos equilibrados e um gosto saudável por sexo. Esse ponto final baseia-se na água e na terra, fornecendo um equilíbrio entre o ideal e o real. Ele também sinaliza gentileza, sensibilidade e praticidade, o que significa que os relacionamentos podem ser profundos, mas equilibrados. Por esse tipo de linha do Coração, podemos ver como um equilíbrio pode ser atingido entre Júpiter, exibindo a mais alta forma de amor, e Saturno, representando a sensualidade da terra.

---

187. Gettings, *Book of The Hand*, p. 140.

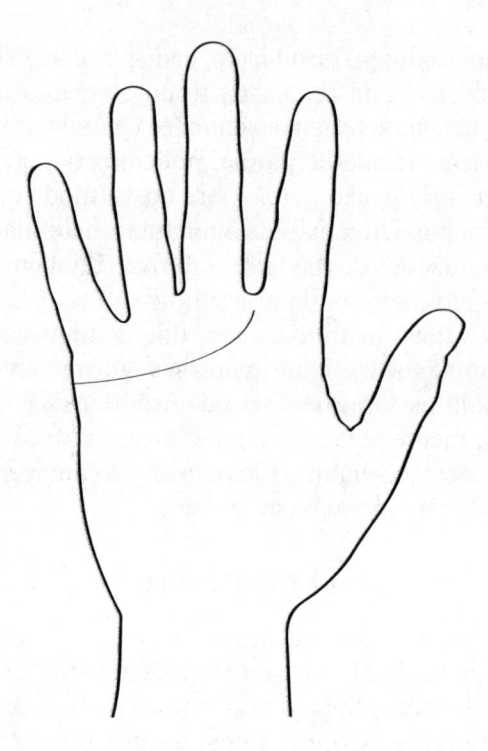

Figura 16.1. A linha do Coração, como é mais comumente encontrada.

Apesar desse equilíbrio, se a linha se estender até o topo da mão, pode haver uma tendência a exagerar nos relacionamentos. O resultado são as expectativas surreais a respeito do amor e da afeição.

Quando a linha do Coração termina no alto do Monte de Júpiter, há uma tendência a ser extrovertido na expressão das emoções. Também com Júpiter, um lado sentimental de afeição pode se desenvolver, assim como uma devoção profunda. A devoção também pode se direcionar às ideias ou causas, não somente às pessoas. Uma linha do Coração que termine no Monte de Júpiter é comum em pessoas com profissões de cura ou religiosas, assim como em pessoas espiritualizadas.[188] A finalização da linha no quadrante de fogo significa que a expressão emocional pode ser dinâmica porque o elemento fogo fornece uma "energia motivadora" às emoções e à consciência.[189]

Quando a linha do Coração termina abaixo do Monte de Júpiter, dizemos que ela termina baixa. Esse local ainda carrega tendências

---
188. Tomio, *Chinese Hand Analysis*, p.155.
189. Ibid.

idealizadas, mas a expressão emocional pode estar mais reservada. É claro que essa é somente uma influência possível, porque esse final classifica a linha como comprida e aumenta o potencial de expressão emocional.

No passado, dizia-se que a linha do Coração que terminava abaixo do Monte de Saturno sinalizava uma pessoa egoísta no amor e na afeição. Trata-se de uma linha de comprimento médio, e, na verdade, demonstra a necessidade de harmonia e afeição. Acredito que o "egoísmo" possa ser uma interpretação errada da necessidade dessa pessoa por introspecção. Pelo fato de Saturno localizar-se na divisa entre o consciente e o subconsciente, a turbulência que pode ocorrer é, com frequência, mal interpretada. Por ser de terra, Saturno se baseia na sensualidade, mas as emoções podem ser profundas. É precisamente essa habilidade de tocar as profundezas do Eu interior que permite que a emoção flua através da divisa entre o subconsciente e o consciente. Ela nos permite alcançar vários níveis mentais, manifestando ideias, emoções e experiências.

A autora e analista de mãos Lori Reid observou que, quando o curso da linha do Coração é elevado e próximo aos dedos, a pessoa pode ser um pouco autocentrada, o que pode contribuir para as acusações de egoísmo. Ou pode apenas indicar que o nível de expressão é estreito. Quando o curso é baixo, a pessoa pode tender a ser mais cuidadosa com os outros, demonstrando um alto nível de expressão emocional.[190]

Uma linha do Coração que cruze a mão de forma reta é regulada pelo fogo. Isso demonstra franqueza e um percurso emocional forte. Afinal, ela cruza a mão diretamente até o quadrante de fogo – ação e manifestação. Por outro lado, uma curva suave demonstra uma mistura de afeição, expressão sexual e "graça emocional".[191] Em geral, as curvas indicam sensibilidade e uma tendência a se expor emocionalmente. Quando o fim da linha se curva para baixo a ponto de cruzar a linha da Cabeça, há uma necessidade forte de contato físico. A linha do Coração se aproxima da linha da Vida (terra) em busca de apoio físico para a emoção e a consciência.

Uma linha do Coração ondulada imita a natureza da água, e isso indica que a expressão emocional é mutável e inconsistente. As emoções podem se desequilibrar facilmente, fazendo com que sua expressão seja imprevisível. Essa inconsistência pode indicar alguma insatisfação, que pode se manifestar como mau humor. Uma linha do

---

190. Reid, *Your Health*, p. 82.
191. Tomio, *Chinese Hand Analysis*, p. 157.

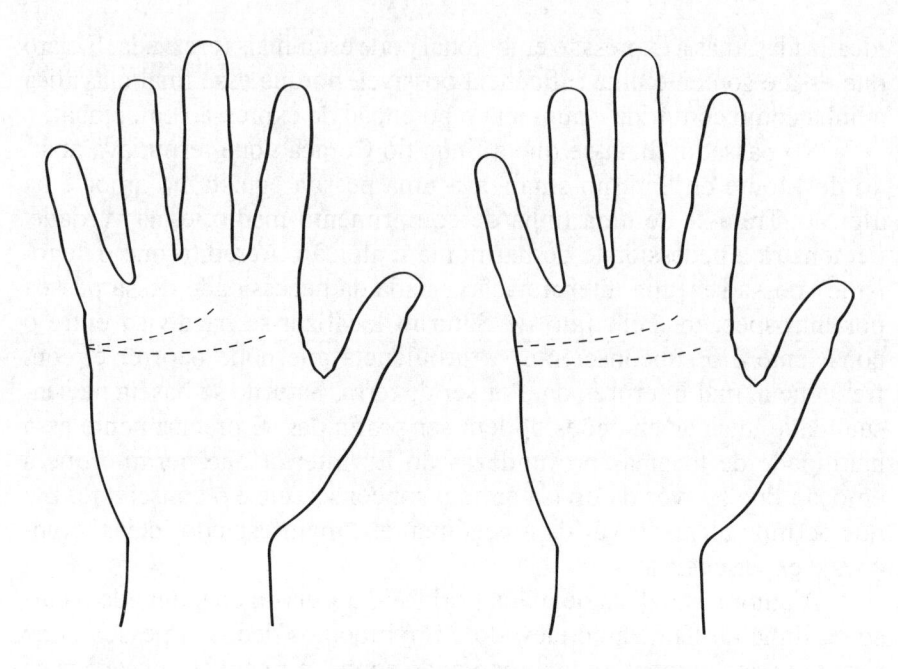

Figura 16.2. Outros caminhos comuns. À esquerda, linhas curvas e curtas; à direita, linhas fortes e altas.

Coração formada por linhas paralelas indica um amplo espectro de emoções e uma tendência a ser vivo e animado.

Ao estudarmos qualquer linha, temos de observar sua profundidade. Um pouco óbvio, mas uma linha do Coração profunda demonstra profundidade emocional. Uma linha leve ou superficial mostra que as emoções emergem rapidamente, mas é provável que sejam sentidas de forma rasa. A profundidade da linha também denota o quão fundo mergulhamos em nossa consciência para ter autocompreensão.

Outros fatores

A linha de água "é a linha mais sensível" e, como consequência, quando possui marcas, estas "refletem interrupções de seu curso natural". Essas interrupções surgem em forma de barras ou pontos. Essas marcas consistem na energia de fogo e indicam obstáculos ou uma necessidade de mudança. Os pontos são "formas de barra intensas".[192] Uma cruz na ou perto da linha do Coração indica um bloqueio. Essa marca na linha

---
192. Gettings, *Book of The Hand*, p. 144.

do Coração é incomum e sua fonte, em geral, é uma causa externa. Por exemplo, pode significar um bloqueio de energia ocasionado por um trauma emocional.

As correntes, sinal de inconsistência, são bastante comuns na linha do Coração, pois os sentimentos e as emoções flutuam continuamente. Muitas correntes, contudo, indicam que questões emocionais precisam ser resolvidas. Quando uma linha se separa e depois retorna, formando "ilhas", isso demonstra uma divisão de energia. As ilhas, contudo, mantêm a estabilidade, pois, apesar dos altos e baixos, o fluxo de energia se sustenta. Estrias, linhas muito finas, indicam um gasto de energia. Se sua linha do Coração possui estrias, pense em onde suas emoções estão sendo usadas.

Quebras na linha do Coração são comuns, e uma única quebra geralmente indica trauma.[193] Várias quebras demonstram um fluxo desigual de energias físicas e emocionais. Uma quebra abaixo do Monte de Saturno pode indicar uma questão com temperamento.

Ramificações denotam uma gama de expressões. Elas também podem revelar uma "procura por energia extra" e apontam para o elemento que precisa se equilibrar, como "raízes procurando o alimento".[194] Por exemplo, ramificações que apontam para Saturno podem indicar uma necessidade de introspecção (terra); para Apolo, a necessidade de mais calor (fogo); para Mercúrio, a necessidade de mais comunicação (ar). Em geral, as ramificações que partem da linha do Coração para o topo da mão indicam otimismo. Linhas que descem em direção à linha da Cabeça demonstram um conflito entre as partes emocional e analítica da mente – a cabeça governa o coração. Uma ou duas pequenas linhas descendentes podem indicar frustrações ou decepções.

Um fim com bifurcação denota vários meios de expressão. Se um ramo termina no Monte de Júpiter e o outro entre esse monte e o de Saturno, a pessoa procura harmonia. Se a linha bifurca abaixo de Saturno, essa pessoa procura por um significado mais profundo. Trifurcações devem ser interpretadas de acordo com o monte em que cada ramo termina (seja sobre o monte ou abaixo deste).

Prática: ativando os pontos do coração

Na Medicina Tradicional Chinesa, o meridiano energético do Coração atravessa a palma, entre os ossos metacarpos dos dedos anular e mindinho, e termina do lado interno da ponta do mindinho. O oitavo ponto

---

193. Gettings, *Book of The Hand*, p. 144.
194. Tomio, *Chinese Hand Analysis*, p. 159.

(C8) desse meridiano fica perto ou na própria linha do Coração. Como foi descrito no capítulo 12, esse ponto pode ser encontrado ao dobrar os dedos, fechando o punho. O local em que o dedo mindinho tocar a palma marca a localização do C8. Esse ponto é utilizado como um calmante físico, mental e energético.

Não muito longe do C8, há dois pontos que refletem o chacra do coração. Um está localizado acima do outro, logo acima da linha do coração, entre os montes de Apolo e Saturno (fig. 16.3).

Para a prática seguinte, pode-se também usar quartzo rosa. Se possível, use uma pedra com tamanho suficiente para tocar os dois pontos que refletem o chacra e o C8. O quartzo rosa está ligado ao coração, ao amor e à beleza e possui um poder de tranquilizar a mente e as emoções. É utilizado para curar distúrbios emocionais, assim como para fortalecer relacionamentos. Ao preparar-se, tenha também por perto uma caneta e um papel ou diário.

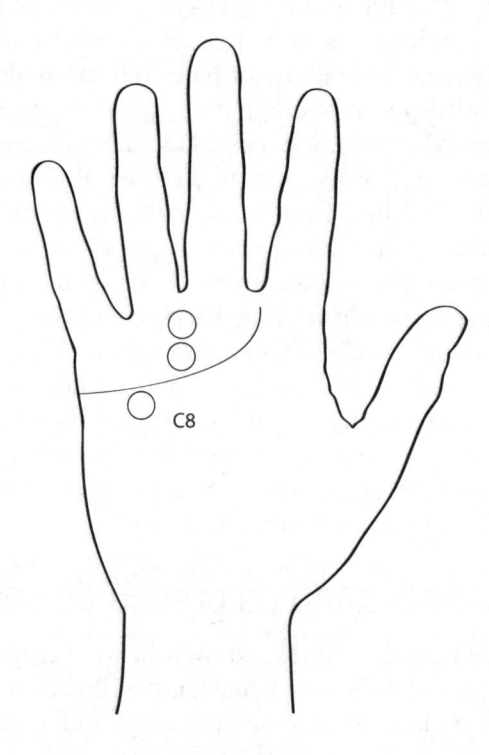

Figura 16.3. Os dois pontos de reflexo do chacra do coração estão acima da linha do Coração, e o ponto C8 do meridiano do coração está abaixo dela.

Prepare-se para a meditação da maneira usual e ative a energia dos chacras da mão. Quando estiver pronto, vire a palma de sua mão dominante para cima e coloque o quartzo rosa de modo que ele encoste nos três pontos. Se não estiver trabalhando com um cristal, use o dedo indicador de sua mão não dominante para traçar lentamente um círculo, em sentido horário, ao redor dos três pontos energéticos. Cante o *mantra semente* do chacra do coração três vezes. O som é YAM e ele ativa a energia do centro do coração. Enquanto faz isso, visualize o chacra abrindo-se como uma flor em seu peito, oferecendo acesso à sua alma.

Quando a energia tiver crescido em suas duas mãos e no chacra do coração, mude para o som EI (como em "sei"). Cante durante uma longa respiração, enquanto visualiza uma luz suave e rosa emanar de sua mão e se mover para seus braços e para seu coração. Visualize essa luz e a energia tocando seu Eu mais profundo, trazendo amor e cura. A energia expande-se até envolvê-lo completamente em uma luz suave e, então, move-se em direção ao mundo exterior.

Sente-se em silêncio com essa experiência por um ou dois minutos e, então, desative os chacras da mão. Em seguida, antes de fazer qualquer coisa, anote tudo o que você ama em si mesmo e então encerre a prática.

17

O Grande Ar: a Linha da Cabeça

Os antigos romanos chamavam a linha da Cabeça de linha "mensal".[195] Essa palavra pode ter surgido da palavra latina *mens*, que significa mente, ou de *mensa*, mesa.[196] Os romanos interpretavam uma linha boa como "plana, estável e sustentadora".[197] Toda a área da mão que envolve as linhas da Cabeça e do Coração também pode ter recebido seu nome da quiromancia romana, por causa de sua designação como mesa da mão. Como aprendemos no capítulo 14, essa área é chamada de Quadrilátero (fig. 17.1).

Entre as linhas que se formam primeiro (junto com a linha da Vida e do Coração), a linha da Cabeça é a que possui o curso mais variável. Ela pode descer para o pulso ou subir para o dedo mindinho.[198] A linha começa na área consciente ativa da mão e termina, com frequência, no subconsciente estático. Nossas habilidades mentais cumprem um papel importante na determinação do caminho que seguiremos e, como Benham aponta, a "mente é a força que nos possibilita alterar nosso mapa natural da vida".[199]

Por estar relacionada às capacidades mentais, a linha da Cabeça também revela o "nível, a qualidade e a orientação da consciência".[200] Em resumo, ela nos mostra onde nossa cabeça está. Essa orientação se expressa por meio dos montes e de seus elementos e revela para onde nossa mente está naturalmente inclinada a se mover. Por exemplo, quanto mais distante seu ponto inicial está da linha da Vida (terra), maior a

---

195. Tomio, *Chinese Hand Analysis*, p. 166.
196. Frith e Allen, *Chiromancy*, p. 93.
197. Tomio, *Chinese Hand Analysis*, p. 166.
198. Gettings, *Book of The Hand*, p. 12.
199. Benham, *Laws*, p. 423.
200. Tomio, *Chinese Hand Analysis*, p. 166.

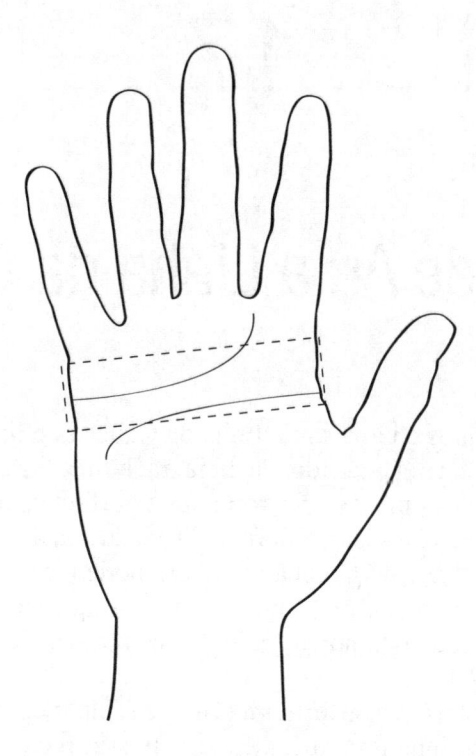

Figura 17.1. A área conhecida como mesa da mão ou Quadrilátero, já que se relaciona às linhas do Coração e da Cabeça.

independência das influências da família e das tradições culturais que tendemos a ter.

Também chamada de linha da Inteligência, a linha da Cabeça indica o tipo e a força de nossa inteligência, assim como nossos interesses e perspectivas em geral. Uma linha classificada como longa demonstra uma grande variedade de interesses, enquanto uma linha curta indica uma inclinação natural para focar em algumas coisas específicas. O espectro de interesses não tem relação com a quantidade ou o nível de inteligência.

A qualidade da linha é extremamente importante porque mostra nosso nível de foco. Uma linha uniforme e forte indica boa concentração. Uma linha da Cabeça em forma de corrente significa que a atenção flutua – às vezes, isso é bom e às vezes pode haver uma capacidade menor de foco. No dia a dia, podemos experimentar flutuações, mas isso, em geral, não dura muito ou não varia tanto. Linhas paralelas demonstram que a concentração é uma habilidade que precisa ser desenvolvida.

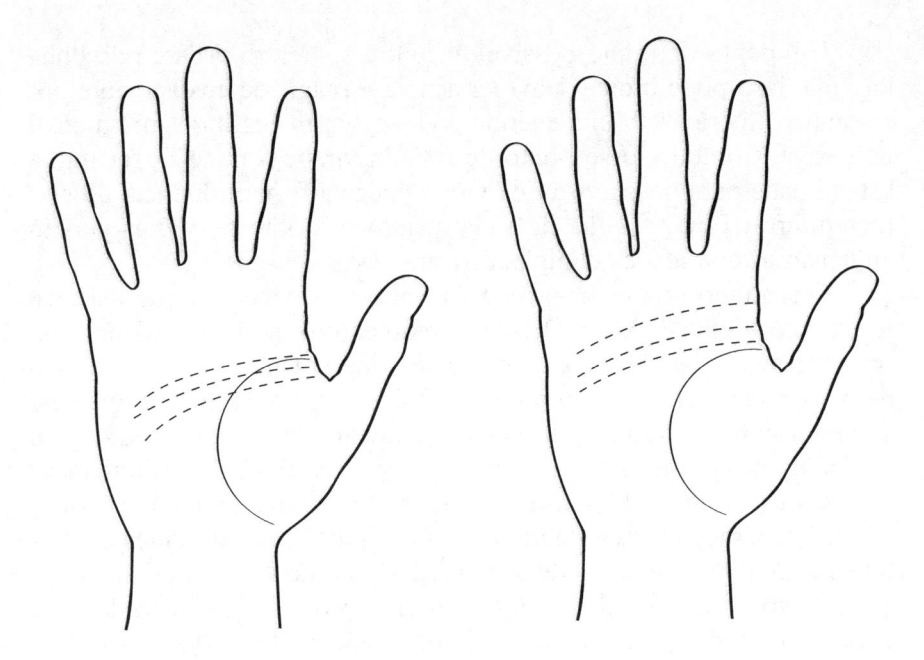

Figura 17.2. Os vários pontos de partida da linha da Cabeça em relação à linha da Vida.

Apesar desse tipo de linha da Cabeça ser um tanto rara, ela demonstra que a pessoa tem, literalmente, "duas mentes".[201]

O curso da linha da Cabeça indica o quanto a pessoa é independente e imaginativa. Ele indica o nível de autoconfiança e reflete as características de nossa habilidade para compreender, assim como nosso poder de racionalização.[202] As marcas, que observaremos mais adiante neste capítulo, acrescentam significados específicos a essas características.

O caminho

Como já foi observado, o ponto de início e o curso da linha da Cabeça pode variar muito de pessoa para pessoa. Há seis pontos de início possíveis,[203] que se associam ao nosso nível de dependência e de independência (fig. 17.2).

---

201. Saint-Germain, *Runic Palmistry*, p. 93.
202. Gettings, *Book of The Hand*, p. 137.
203. Hipskind Collins, *Hand From A to Z*, p. 147.

Um ponto de início possível encontra-se dentro do arco da linha da vida. Isso pode indicar uma tendência a reagir defensivamente por se sentir vulnerável. Muita energia pode ser gasta nessa postura mental defensiva. Contudo, esse ponto de partida também pode trazer muita estabilidade para nossa visão da vida, graças à forte influência do elemento terra. Tanto a linha da Vida quanto o Monte de Vênus podem aumentar as qualidades da linha da terra nessa situação.

O segundo ponto de partida da linha da Cabeça é onde ela toca levemente a linha da Vida. Demonstrando equilíbrio e praticidade, essa pessoa pensa antes de agir, mas não se inibe por meio de um excesso de pensamento. O terceiro ponto possível de início da linha é onde ela se une à linha da Vida. Isso indica a tendência a ter uma abordagem cuidadosa das coisas, por causa da timidez e da falta de autoconfiança.

O quarto ponto de partida fica um pouco acima da linha da Vida e há uma separação estreita entre elas. Isso indica autoconfiança e a habilidade de tomar decisões de forma independente. Como podemos ver, cada ponto de partida distancia-se progressivamente da linha da Vida e, no caso do quinto ponto, essas linhas estão bastante distantes. Essa posição indica uma tendência a reagir de forma espontânea, com pouca cautela. Por estar logo abaixo do Monte de Júpiter, ela atrai algumas qualidades do monte, como uma atitude mais individualista.

O sexto e último ponto é o Monte de Júpiter. Ele, é claro, transmite qualidades fortes, principalmente a ambição, a independência e o idealismo. Apesar de a linha da Cabeça começar no quadrante de fogo, quando seu ponto de início se localiza no Monte de Júpiter ou logo abaixo dele, a energia da água é acrescentada à linha. Apesar de serem elementos antagônicos, a combinação de ar (vento) e água é muito poderosa. Uma linha da Cabeça com essa forte influência revela uma pessoa que define seu próprio caminho na vida.

O curso da linha possui muitas variações e é um indicativo de nossos poderes de racionalização e de sugestionabilidade, assim como de nossa habilidade de empatia. O curso "ideal" equilibra-se entre os extremos. Seu ponto de início encosta na linha da Vida e então se curva suavemente, terminando na parte superior do Monte de Luna.[204] Isso demonstra estabilidade e sensibilidade. Iniciando-se no quadrante de fogo, ela cruza o ar e termina na água, deixando o indivíduo em equilíbrio por meio da comunicação e da compreensão.

A curva da linha pode, em si mesma, transmitir qualidades da água. Se a curva ocorrer em direção ao Monte de Luna, isso demonstra

---

204. Gettings, *Book of The Hand*, p. 137.

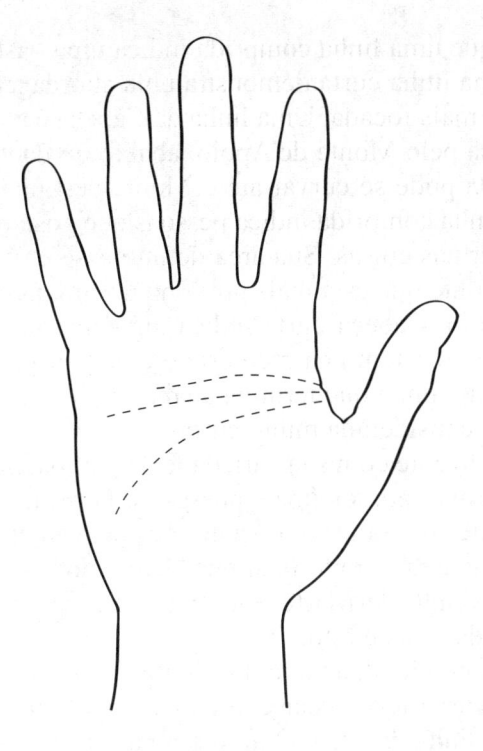

Figura 17.3. Vários caminhos, ilustrando linhas da Cabeça: uma curta, uma reta e uma comprida que faz um mergulho íngreme em direção ao Monte de Luna.

criatividade, versatilidade e abertura, assim como um gosto pelo complexo e não convencional. Essas pessoas querem ocupar completamente seu intelecto por meio da compreensão do porquê, do como e do onde relacionados àquilo que escolhem estudar. Uma curva íngreme que parece mergulhar no Monte de Luna indica algum desequilíbrio. Nesse caso, os sonhos e a imaginação podem prevalecer sobre os pensamentos da pessoa, a ponto de ela se tornar irrealista.

Uma linha curva também demonstra a necessidade de um emprego estimulante. Para essas pessoas, é importante transformar seus devaneios em meios para atender às suas necessidades ou encontrar meios práticos para manifestar suas ideias criativas. Quando o curso da linha da Cabeça é ondulado, a pessoa pode se distrair com facilidade, seguindo o fluxo em vez de estabelecer um caminho específico.

A abundância da energia do fogo traz um caminho reto. A força de vontade se junta às habilidades mentais, resultando na praticidade, no bom senso e na habilidade de terminar as coisas.

Já vimos que uma linha comprida indica uma vasta gama de interesses, e que uma linha curta demonstra uma abordagem especializada ou uma atenção mais focada. Uma linha da Cabeça é considerada longa quando ela passa pelo Monte de Apolo, abaixo do dedo anular. Em raras situações, ela pode se curvar até o Monte de Luna, em direção ao pulso.[205] Uma linha comprida indica pessoas que gostam de pesquisar e de se aprofundar nas coisas. Sua área de interesse e de compreensão é revelada pelo monte que está mais próximo do fim da linha.

Uma linha da Cabeça curta indica alguém com habilidade para focar e se concentrar, tem boa memória e é prática ao aplicar seus conhecimentos. Uma linha que termina abaixo do Monte de Saturno, sob o dedo médio, é considerada muito curta.

Sendo condizente com sua variedade de pontos iniciais, a linha da Cabeça possui cinco pontos finais possíveis. O primeiro e o segundo, abaixo dos montes de Saturno e Apolo, respectivamente, são considerados curtos. O terceiro ponto final fica abaixo do Monte de Mercúrio, mas acima do Monte de Marte Superior. Esse ponto é mais comum quando o curso da linha é reto.

O quarto ponto final, abaixo do Monte de Marte Superior, em geral possui uma curva leve e suave, a não ser que a linha da Cabeça se inicie abaixo da linha da Vida. O quinto ponto localiza-se em qualquer lugar do Monte de Luna.

Outros fatores

A bifurcação está relacionada ao fim da linha. Um fim bifurcado amplia as habilidades mentais da pessoa, pois acrescenta um segundo canal pelo qual a energia pode fluir e se expressar. A bifurcação acrescenta força e versatilidade. Quando a linha da Cabeça termina em uma bifurcação no Monte de Marte Superior, ela é chamada de "linha do jurista".[206] A razão para isso é que a pessoa com essa linha tende a ser excessivamente prática e preocupada com os fatos e com a descoberta da verdade.

A "bifurcação do escritor", ao fim da linha nos montes de Marte Superior e de Luna, é encontrada em pessoas criativamente inventivas ao entrarem em contato com seu subconsciente.[207] Quando um ramo da bifurcação é reto e o outro é curvo, a pessoa é criativa e também é uma pensadora lógica.

---
205. Ibid.
206. Hipskind Collins, *Hand From A to Z*, p. 154.
207. Ibid.

A incomum bifurcação em três ramos indica uma pessoa com uma "perspectiva única". O terceiro ramo tende a mergulhar profundamente na área subconsciente da mão e iluminar a habilidade de "enxergar possibilidades" que os outros não veem.[208]

As ramificações são mais comuns do que as bifurcações. Como vimos em outras linhas, as ramificações tendem a colher as qualidades do monte que é alcançado pelo ramo. Por exemplo, um ramo que alcança o Monte de Mercúrio revela perspicácia nos negócios e em assuntos científicos. Isso também indica a habilidade para lidar bem com o dinheiro. Um ramo que chega ao Monte de Vênus pode demonstrar a tendência de ser influenciado pelo amor, pela sensualidade ou pela empatia. Ramos retos indicam habilidades para resolver problemas lógicos. Ramos e bifurcações podem ser mais facilmente detectados ao fecharmos levemente as mãos.

Quebras na linha da Cabeça indicam períodos de oscilação, trauma mental e até trauma físico na cabeça. Cortes na linha demonstram uma mudança de profissão ou uma necessidade de começar de novo.[209]

Como com as outras linhas, barras que cruzam a linha da Cabeça indicam interrupções. Elas podem sinalizar uma interrupção na educação ou uma mudança na carreira. Se elas ocorrerem próximas ao fim da linha, podem indicar potenciais que estão bloqueados.[210] Correntes na linha da Cabeça são um sinal de dificuldade em se concentrar.

A profundidade da linha também se relaciona à habilidade de concentração, assim como com fatores de saúde que a afetam. Uma linha profunda demonstra um bom foco e a habilidade de terminar com facilidade tudo o que começa. Uma linha leve ou superficial significa que há algumas questões nessa área. Com frequência, a causa está ligada à necessidade de mais sono. Uma profundidade inconsistente demonstra que o esforço não está sendo utilizado de maneira consistente.

Uma linha da Cabeça clara e estável indica um temperamento uniforme ao lidar com a vida. Uma linha larga e rasa demonstra que a energia nem sempre é utilizada de maneira construtiva. Uma linha fina e delgada revela exaustão nervosa, assim como dificuldade em lidar com a pressão. Essa última também se relaciona à questão da concentração mencionada anteriormente.

---

208. Saint-Germain, *Runic Palmistry*, p. 92.
209. Gettings, *Book of The Hand*, p. 137.
210. Hipskind Collins, *Hand From A to Z*, p. 152.

Prática: abundância e fundamento

A linha da Cabeça marca a borda superior do Grande Triângulo, que rodeia o chacra da mão. O ponto de reflexo do chacra raiz também fica nessa área. Graças à sua proximidade, a linha da Cabeça pode se basear nessa energia, que ajuda a clarear o pensamento. Nessa prática, usaremos o mudra Kubera, que recebeu o mesmo nome do deus hindu da riqueza (fig. 17.4).

Para formar esse mudra, curve os dedos anular e mindinho em direção à palma, enquanto une as pontas do polegar, do indicador e do dedo médio. Essa posição deixa, quase naturalmente, os dois dedos e o polegar sobre o centro da palma e do chacra da mão. O objetivo desse mudra é projetar as intenções, direcionando o poder da mente para

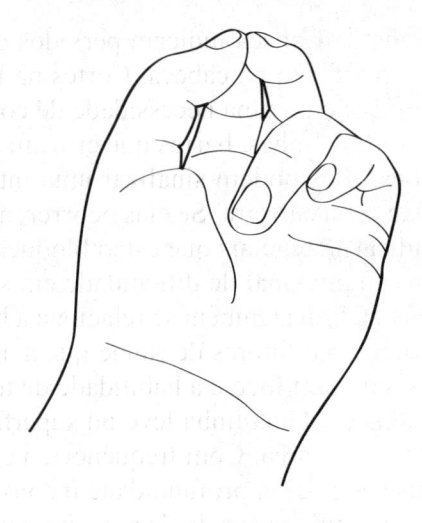

Figura 17.4. O mudra Kubera.

encontrar o que procura. Um efeito colateral maravilhoso desse mudra é que sua prática produz "repouso interno, confiança e serenidade".[211]

Quando unimos esses dedos e o polegar, estamos juntando, de forma simbólica, as energias representadas por eles. O polegar relaciona-se à mente, à expressão dinâmica e às forças psicológicas. O dedo indicador representa o Eu, a autoestima e a intuição. O dedo médio representa a responsabilidade, o *insight* e a sabedoria.

---
211. Hirschi, *Mudras*, p. 94.

Prepare-se para a meditação da maneira usual, ative os chacras das mãos e, então, forme o mudra Kubera com ambas as mãos. Leve um tempo para visualizar o que procura em sua vida. Quando estiver claro em sua mente, pergunte ao seu coração e ao seu Eu superior se isso é o certo para você. Permita à sua intuição guiar o diálogo interior que pode surgir. Foque sua atenção no que está procurando. Mantenha qualquer imagem ou sentimento até que eles comecem a evanescer e, então, deixe-os sumir. Desative os chacras da mão e leve um tempo sentado, sentindo a experiência.

18

O Grande Fogo: a Linha do Destino

Como as outras linhas da mão, a linha do Destino é conhecida por vários nomes. Dentre estes: linha da Fortuna, linha da Sina, linha de Saturno e linha da Carreira. Chamá-la de linha do Destino ou da Sina é impróprio, pois as atitudes indicadas por essa linha são coisas sobre as quais temos controle. Em termos de atitudes, trata-se das atitudes internas que têm impacto no nível de vontade que usamos para atingir nossos objetivos.

Por ser mais comumente conhecida hoje como linha do Destino, ficaremos com esse nome. Outro nome pelo qual ela é chamada: "linha da Integração".[212] Assim como o Monte de Saturno (abaixo do qual ela se geralmente se estende), essa linha cruza a divisão da mão entre as partes consciente e subconsciente, o que faz dela uma possível ponte de integração entre essas áreas do Eu.

Além de cruzar a divisa entre os lados consciente e subconsciente da mão, a linha do Destino atravessa as partes estática e ativa, o que lhe dá o potencial de estar em contato com todos os quatro quadrantes elementares. Por ser uma linha capaz de mudar com facilidade e de forma frequente, até mesmo "no espaço de algumas semanas" –, ela serve como um barômetro para nossa habilidade de lidar com as mudanças.[213]

O curso comum dessa linha se inicia no centro inferior da mão e segue adiante, em direção ao dedo médio. Entretanto, seu ponto inicial e seu curso podem variar muito, até mesmo mais do que as outras três linhas principais.

Como aprendemos no capítulo 14, aproximadamente 30% das pessoas não possuem a linha do Destino. Isso é interpretado como uma

---
212. Hipskind Collins, *Hand From A to Z*, p. 159.
213. Saint-Germain, *Runic Palmistry*, p. 109.

"abordagem não convencional, imprevisível, da vida".²¹⁴ A presença dessa linha revela a habilidade para se adaptar; porém não significa que alguém sem essa linha não seja adaptável.²¹⁵

Sabemos que a mudança na vida é inevitável e que nossa capacidade de adaptação a ela basicamente decide nosso destino. Nosso destino é nossa escolha. Podemos decidir seguir adiante e crescer em todo o nosso potencial, ou não. A capacidade de adaptação é descrita como uma medida da inteligência ou, mais precisamente, eu acredito, da aplicação do conhecimento e da intuição.²¹⁶ Como consequência, a linha do Destino deve ser interpretada em relação às outras linhas principais. Como vimos ao longo deste livro, todos os componentes da mão – quadrantes, formato, montes, linhas – estão inter-relacionados. Pelo fato de a linha do Destino seguir ou cruzar a divisão entre consciente e subconsciente, ela demonstra o "nível de harmonia interior"²¹⁷ em nossas vidas, ou então como nós harmonizamos as mudanças internas e externas.

Outras características encontradas na linha do Destino são a habilidade e a inclinação pelo trabalho e o desejo por resultados e conquistas. Simplificando, a linha do Destino baseia-se na motivação e indica nosso "desejo de conquistar certos objetivos, assim como a habilidade para trabalhar por eles".²¹⁸ Uma parte integral disso é nosso senso de valor e uma forte filosofia pessoal de vida. Grandes mudanças na vida, atitudes que se referem ao trabalho, bem como nosso modo de vida estão gravados na linha do Destino.

O caminho

Cada linha, como vimos até agora, possui sua configuração ideal. Para a linha do Destino, ela deveria seguir um percurso reto que se inicia entre os montes de Luna e Vênus e vai até o Monte de Saturno. Esse curso indica pessoas que alcançam seus objetivos por meio da habilidade e da determinação. Seus caminhos estão determinados e elas se movem a todo vapor. Porém, a linha do Destino da maioria das pessoas não é tão reta, e curvaturas nas linhas revelam influências do ambiente.²¹⁹

---

214. Reid, *Your Health*, p. 90.
215. Gettings, *Book of The Hand*, p. 147.
216. Ibid.
217. Ibid.
218. Hipskind Collins, *Hand From A to Z*, p. 160.
219. Tomio, *Chinese Hand Analysis*, p. 187.

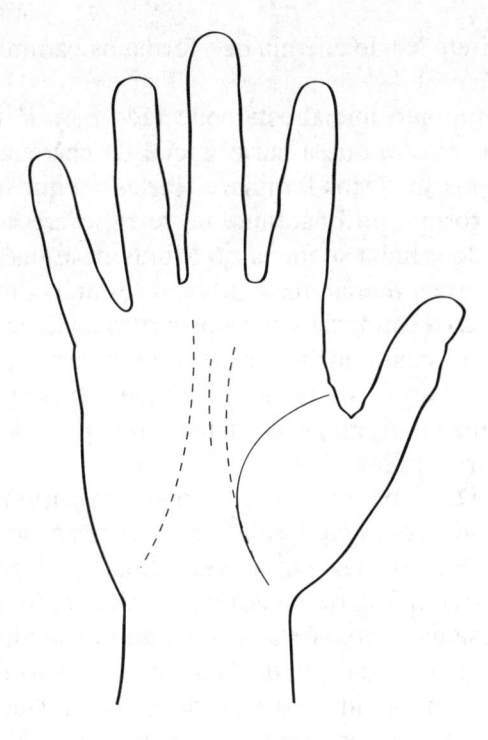

Figura 18.1. Comprimentos e caminhos possíveis da linha do Destino.

Olharemos para os possíveis pontos iniciais da linha do Destino, começando pelo ponto ideal que mencionamos anteriormente. Uma linha do Destino que inicia na parte inferior do centro da mão demonstra uma pessoa independente, que cria seu próprio sucesso. Com essa posição inferior, a pessoa determina ainda jovem seus objetivos de vida. Isso não significa necessariamente que as pessoas sabem exatamente o que serão quando adultas (por exemplo: "Eu quero ser um bombeiro quando crescer"). Todavia, elas podem pressentir que farão algo criativo ou que envolva cura, trabalho manual, ou alguma habilidade do tipo. Quando a linha do Destino se inicia nesse ponto, entre os montes de Luna e Vênus (água e terra), ela mistura as qualidades dos montes. Com frequência, isso envolve imaginação, aspirações e um senso de responsabilidade.

Quando a linha do Destino começa em um monte, este também pode indicar a direção de um caminho. É como se o monte se tornasse um "condutor direto"[220] de energia que forma os caminhos das pessoas e as empurra adiante.

Quando seu ponto inicial está conectado com a linha da Vida, a linha do Destino mostra que a parte inicial da carreira é influenciada pela família ou possui "laços familiares fortes"[221] que oferecem apoio. Começar dessa forma, no quadrante de terra, oferece centramento e harmonia. Quando a linha se inicia no Monte de Luna, as pessoas trabalharão bem com as outras, mas também testarão limites. De forma geral, elas seguirão a batida de seu próprio ritmo. Começar no quadrante de água oferece sensibilidade e equilíbrio externo. Fontes múltiplas para a linha do Destino – o que significa que ela é ramificada em seu ponto inicial – trazem múltiplas influências que podem oferecer equilíbrio, mas também conflito.

A linha do Destino nem sempre começa na parte inferior da mão, o que a classificaria como comprida. Focaremos agora em outros pontos iniciais e nas linhas mais curtas. Se a linha do Destino possui um ponto inicial próximo à parte superior da mão, é provável que a pessoa não tenha desenvolvido, ainda jovem, equilíbrio interior. Uma linha do Destino que se inicia dentro do Grande Triângulo traz sucesso em um período posterior da vida, e depois de termos lidado com conflitos. Contida na metade inferior da mão, essa forma de linha do Destino curta demonstra que os objetivos foram determinados quando a pessoa ainda era jovem, mas não foram levados à vida adulta,[222] quando novos interesses surgiram. O motivo principal disso é que nossos anos iniciais podem não ter nos oferecido uma vasta gama de possibilidades. Por exemplo, aqueles que saem de casa para frequentar a faculdade provavelmente serão expostos a uma variedade de ideias e experiências maior do que se tivessem ficado em casa ou próximos a ela.

Quando a linha do Destino começa na linha da Cabeça ou logo abaixo dela, o caminho profissional é descoberto bem depois dos anos de faculdade. O começo na linha da Cabeça demonstra que o sucesso virá depois. Já uma linha do Destino, cujo ponto inicial é acima da linha da Cabeça, indica um novo começo ou uma mudança no caminho, com o sucesso chegando antes ou por volta da meia-idade. A linha do Destino pode até mesmo começar perto ou acima da linha do Coração, o que indica sucesso ou autoexpressão que florescerão mais tarde.

---

220. Ibid., p. 184.
221. Hipskind Collins, *Hand From A to Z*, p. 161.
222. Ibid., p. 160.

Uma linha do Destino que começa na parte inferior da mão e termina na linha da Cabeça demonstra que o curso foi determinado cedo, pelo menos antes da meia-idade. Isso também pode indicar uma aversão à mudança. Se a linha se estende para cima da linha da Cabeça e então se desloca, ocorreu uma grande mudança no caminho profissional, um novo casamento ou algum outro tipo de recomeço.

A linha do Destino que continua acima da linha do Coração demonstra foco contínuo e movimento em direção aos objetivos. Quando a linha do Destino se junta à linha do coração, é sinal de boa sorte.[223] Além disso, quando a linha do Destino termina em outro monte que não seja o de Saturno, o caminho da pessoa se relacionará às qualidades daquele monte. Por exemplo, se terminar no Monte de Apolo, isso é sinal de alguém envolvido com as artes. Se no Monte de Júpiter, indica um caminho distinto e único e, provavelmente, alguém de autoridade.

Quanto mais longa a linha do Destino, maior o grau de adaptação, assim como o "nível de controle que sentimos que podemos exercer"[224] sobre as circunstâncias de nossa vida. Como Gettings coloca, "a qualidade da linha indica a qualidade de nossa liberdade interior".[225]

Outros fatores

Uma linha do Destino que consista em duas linhas paralelas demonstra uma energia crescente de fogo. Isso pode ser complexo, porque possui dois significados diferentes. Um é que as energias consciente e subconsciente não se uniram. O outro é que as linhas duplas acrescentam força e ímpeto para alcançar os objetivos. O significado correto é encontrado no contexto, junto com as outras características da mão. Seja qual for o significado que encontrarmos, se valer para uma situação específica, pode nos ajudar a aprender mais sobre nós mesmos. O autoconhecimento é um poder que podemos aplicar em conjunto com nossa vontade de iniciar mudanças.

Linhas curtas que correm ao lado da linha do Destino dão apoio para atingir os objetivos. "Linhas influentes" que correm do Monte de Luna e se unem à linha do Destino contribuem para a influência das qualidades de Luna.[226] Isso acrescenta água à linha de fogo, o que pode ser potencialmente antagônico. Por exemplo, sonhar acordado e ter uma imaginação fértil podem atravancar o progresso da pessoa. Entretanto,

---

223. Phanos, *Your Health*, p. 90.
224. Reid, *Your Health*, p. 90.
225. Gettings, *Book of The Hand*, p. 147.
226. Hipskind Collins, *Hand From A to Z*, p. 163.

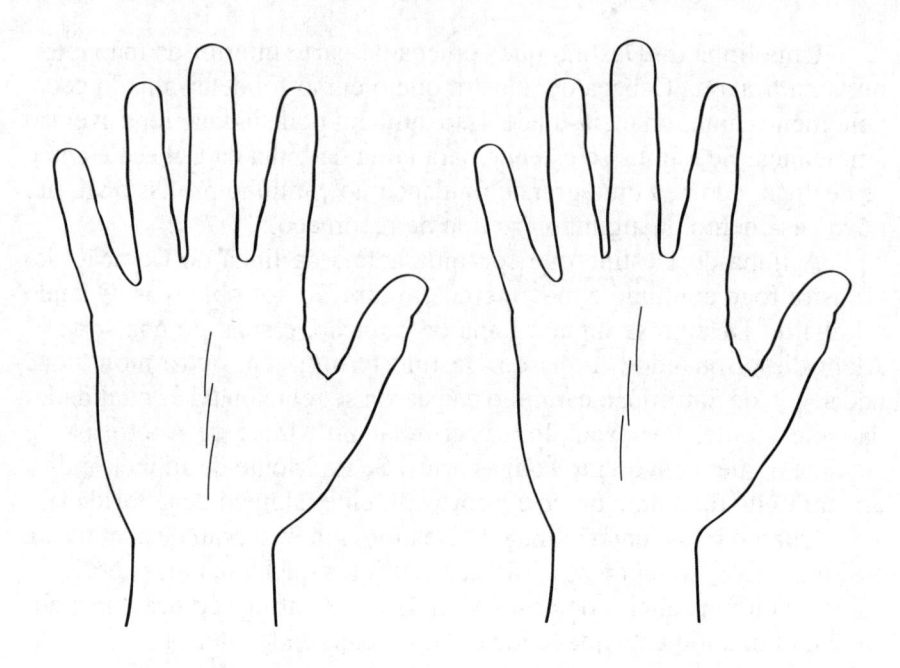

Figura 18.2. Quebras em sequência (para dentro à esquerda, para fora à direita).

a influência da água de Luna pode oferecer sensibilidade capaz de ampliar sua perspectiva. Como sempre, isso deve ser examinado em relação a outras características encontradas na mão.

Uma linha forte e profunda indica um "bom conceito de si mesmo e uma autoestima saudável".[227] Isso, é claro, pode ajudar bastante no sucesso em qualquer caminho que se escolher trilhar. Uma linha de profundidade irregular demonstra esforço inconsistente. Uma linha fraca ou leve indica problemas com a própria imagem e dificuldades em se adaptar às mudanças. Se a linha do Destino for fraca e quebrada, a pessoa pode se sentir insignificante,[228] ao passo que a quebra em uma linha do Destino forte indica uma mudança de direção ou de atitude.

Quebras múltiplas que seguem como linhas separadas demonstram que a pessoa tem coragem para experimentar diferentes caminhos. Essas quebras podem se desviar em diferentes direções, o que indica as forças que atuam na vida da pessoa. Quebras que seguem em direção ao polegar demonstram um "retorno a influências passadas".[229] A pessoa

---

227. Reid, *Your Health*, p. 91.
228. Gettings, *Book of The Hand*, p. 147.
229. Saint-Germain, *Runic Palmistry*, p. 112.

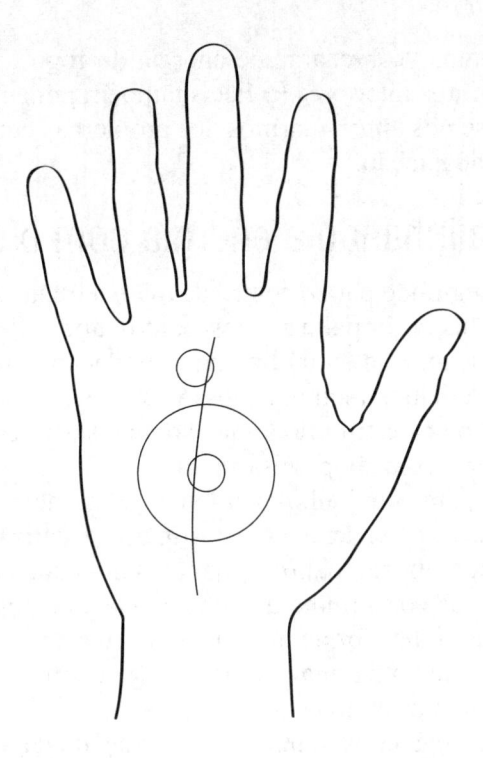

Figura 18.3. A linha do Destino em relação ao chacra da mão (círculo grande), o ponto de reflexo do chacra raiz (círculo no interior do círculo grande) e um dos pontos de reflexo do chacra do coração.

pode ter definido seu caminho cedo, mas seguiu em outra direção para tentar coisas diferentes antes de retornar àquele caminho. Quebras que vão no sentido externo, para longe do polegar, demonstram alguém que rompeu com a tradição de maneira positiva (fig. 18.2).

Uma linha do Destino em forma de corrente é um pouco rara e indica períodos de incerteza sobre o que buscar na vida.[230] As ilhas indicam períodos de contratempos e/ou estresses. O fato de serem marcas temporárias demonstra que as dificuldades podem ser superadas.

Estrias indicam dispersão de energia. "O equilíbrio interior foi perturbado",[231] o que pode ser a causa ou o resultado de um desperdício de tempo. Barras e pontos indicam obstáculos, mas, como ocorre com as ilhas, as dificuldades podem ser superadas. A longo prazo, isso geralmente oferece uma experiência de aprendizado profunda. Estrelas e

---

230. Gettings, *Book of The Hand*, p. 147.
231. Tomio, *Chinese Hand Analysis*, p. 189.

cruzes indicam uma "sobrecarga de energia do fogo", frequentemente causada por conflitos interiores.[232] Estas também podem ser resolvidas, principalmente se nos aproximarmos dos problemas com a mente aberta e dispostos à adaptação.

Prática: alinhando a energia com o caminho

Com seu curso seguindo para o centro da mão, a linha do Destino cruza o território do chacra da palma e dos pontos que refletem os chacras da raiz e do coração. Isso simboliza uma fundação baseada no amor e na compaixão. Podemos melhorar nosso caminho na vida estando firmemente aterrados na estrutura do que somos, assim como seguindo o caminho que nosso coração precisa seguir.

Prepare-se para o trabalho energético da maneira usual. Quando estiver pronto, ative os chacras de suas mãos, visualizando espirais de luz branca girando em sua palma. Quando sentir que a energia está se movimentando, trace o caminho da linha do Destino em sua mão dominante com o dedo indicador da outra mão. Se você não tiver uma linha do Destino, desenhe uma linha imaginária de seu pulso, passando pelo centro da mão, até chegar ao dedo médio.

Enquanto desenha essa linha, ou faz o traçado da linha verdadeira, visualize seu caminho na vida. Você sente ser este o caminho que seu coração deseja? Se não, pense no caminho que você gostaria de seguir, o caminho que sua alma lhe diz ser o certo para você. Mantenha essa imagem por alguns momentos e, então, deixe que desapareça. Desative os chacras da mão. Use esse método sempre que necessário para definir sua intenção de mudar ou fortalecer seu caminho na vida.

---

232. Ibid.

19

As Linhas Elementares Menores

Agora que você explorou as linhas elementares principais, examinaremos as linhas menores correspondentes. Esses parceiros apoiam e refletem a energia das linhas principais, e ampliam seus objetivos. As linhas menores são encontradas em níveis variados e, com frequência, não são encontradas. A falta de uma linha menor não é um mau sinal, simplesmente indica que seu papel não se encaixa em situações específicas. A presença de uma linha menor não indica uma linha maior fraca. Mais uma vez, isso envolve a combinação única da energia e das circunstâncias de cada um.

Tabela 19.1. O relacionamento entre os elementos
das linhas e seus nomes

Elemento	Linha	Nome latino	Termo médico
Terra, maior	Linha da Vida	*Vitalis*	Vinco tenar
Terra, menor	Braceletes	*Rascettes*	Vinco flexor do pulso
Água, maior	Linha do Coração	*Via cor*	Vinco distal
Água, menor	Anel de Vênus	*Cinculum*	-
Ar, maior	Linha da Cabeça	*Mensal*	Vinco proximal
Ar, menor	Linha de Mercúrio	*Via hepatica*	Vinco hipotenar longitudinal
Fogo, maior	Linha do Destino	*Fortuna*	Vinco radial longitudinal
Fogo, menor	Linha de Apolo	*Solaris*	Vinco ulnar longitudinal

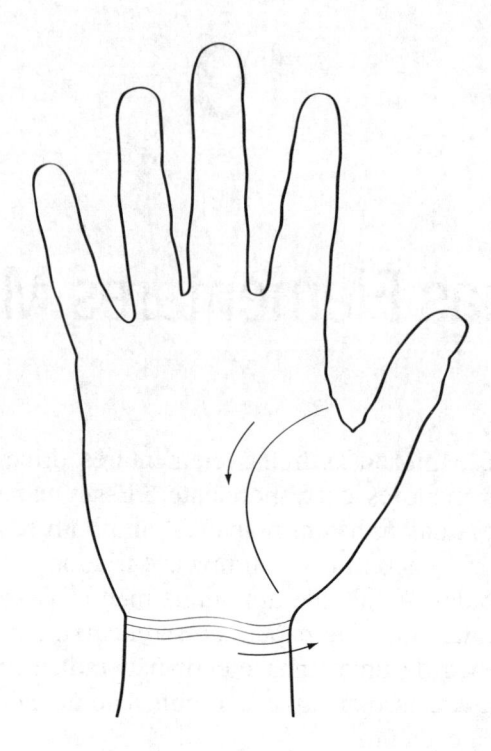

Figura 19.1. Linhas de terra: linha da Vida e os Braceletes, mostrando a direção de seu fluxo energético.

Terra menor: os Braceletes

A linha da Vida diz respeito ao corpo físico e à nossa vitalidade básica. Seus parceiros, os Braceletes, relacionam-se à nossa constituição e à nossa habilidade para lidar com problemas e estresse. Conhecidas pelos gregos antigos como "os Braceletes da Saúde, Riqueza e Felicidade",[233] essas linhas formam as fronteiras do pulso entre a mão e o braço. Em geral três, os Braceletes são formados por duas a quatro linhas, sendo que a quarta linha é rara. Quando há quatro Braceletes, a linha da Vida, em geral, é mais longa do que a média.[234]

Como podemos ver, os Braceletes ficam fora dos quadrantes da palma. O caminho da linha da Vida vai em direção aos Braceletes e, portanto, eles parecem criar uma estrutura para a mão e, assim, para nossa saúde e vitalidade. Assim como outras linhas da mão, os Braceletes são conhecidos por outros nomes, como Braceletes da Vida, Bracelete Real

---
233. Cheiro, *Palmistry For All*, p. 91.
234. Frith e Allen, *Chiromancy*, p. 126.

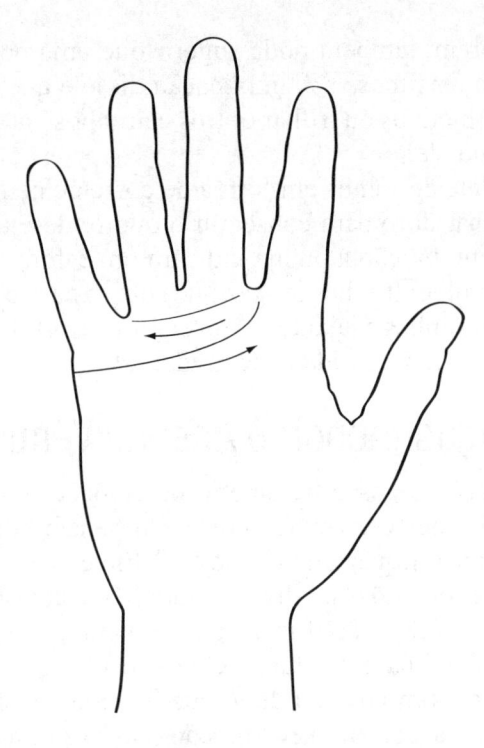

Figura 19.2. Linhas de água: linha do Coração e Anel de Vênus, mostrando a direção de seus fluxos energéticos.

ou Bracelete Mágico Triplo, e Braceletes de Netuno. Em hindu, eles são chamados de *Manibandhas*, e normalmente se considera que, quanto mais linhas forem encontradas nos Braceletes, melhor.[235] Na Índia, ter quatro linhas indica a habilidade de lidar com o poder. Apesar de os Braceletes serem compostos por linhas múltiplas, a maioria das pessoas considera importante somente aquela linha que fica mais próxima à mão (chamada de linha superior). Essa linha específica é conhecida como Bracelete de Vênus.[236]

Quiromantes antigos acreditavam que os Braceletes aumentavam a longevidade da pessoa, mas, hoje em dia, diz-se que eles indicam a qualidade de nossa saúde e do nosso vigor. Uma linha superior clara e consistente em profundidade indica boa saúde. Uma linha superficial sinaliza uma constituição menos robusta.

Uma linha superior convexa no centro pode indicar pequenos problemas de saúde. Nas mulheres, isso tem sido relacionado à dificuldade

---

235. Subramanian, *Predictive Planets*, p. 220.
236. Ibid.

de ter filhos; porém, também pode sugerir que uma possível mãe precise esperar para ter filhos.[237] A implicação disso é que ela pode querer cumprir outros objetivos ou trilhar outros caminhos antes de estar pronta para a maternidade.

Um Bracelete de Vênus em forma de corrente demonstra a necessidade de trabalhar duro para conseguir o que se deseja. Ramos curtos que se erguem em direção à palma indicam um esforço pessoal e o desejo de se desenvolver. Linhas longas que sobem para o Monte de Luna são chamadas de linhas viajantes e revelam o nível de inquietação, o desejo de viajar ou a necessidade de mudar.

Água menor: o Anel de Vênus

A linha do Coração é nosso barômetro de emoções e de como nós as expressamos. O Anel de Vênus acrescenta sensibilidade emocional, calor e "uma grande riqueza de caráter".[238] Ele conecta nossos Eus interno e externo, enquanto estabiliza as emoções, e acrescenta vitalidade e energia à linha do Coração. Em vários momentos, essa linha irmã foi chamada de Anel, Círculo, Cintura e Cinto de Vênus.

Podemos ver como o Anel de Vênus funciona para sustentar e estabilizar as emoções, correndo em direção oposta à linha do Coração. A linha do Coração começa na área subconsciente ativa da mão, abaixo do Monte de Mercúrio, e flui para o consciente ativo, no Monte de Júpiter. O Anel de Vênus começa entre os dedos indicador e médio (montes de Júpiter e Saturno, respectivamente) e corre através dos montes, terminando entre os dedos anular e mindinho (fig. 19.2).

Como outras linhas, o curso do Anel de Vênus pode variar. Ele pode começar no Monte de Júpiter e terminar no Monte de Mercúrio, o que o classificaria como comprido. Se for comprido e a linha for quebrada ou caótica, em vez de cumprir seu papel de apoio, ele criará desassossego e um desejo por animação ou diversão contínuas. Um Anel de Vênus mais curto do que o normal indica "alerta emocional".[239]

Antigos quiromantes interpretaram essa linha como um sinal de apetite sexual hiperativo. Hoje, ela é vista como sinal do gosto pela vida. Ela indica pessoas para quem os impulsos urgentes são parte importante da vida e cuja criatividade está antenada com o ambiente. Elas trazem sensibilidade ao seu trabalho criativo. Uma linha curta e quebrada pode indicar períodos de mau humor. Porém, quando o Anel de

---

237. Yaschpaule, *Your Destiny*, p. 347.
238. Benham, *Laws*, p. 613.
239. Gettings, *Book of The Hand*, p. 151.

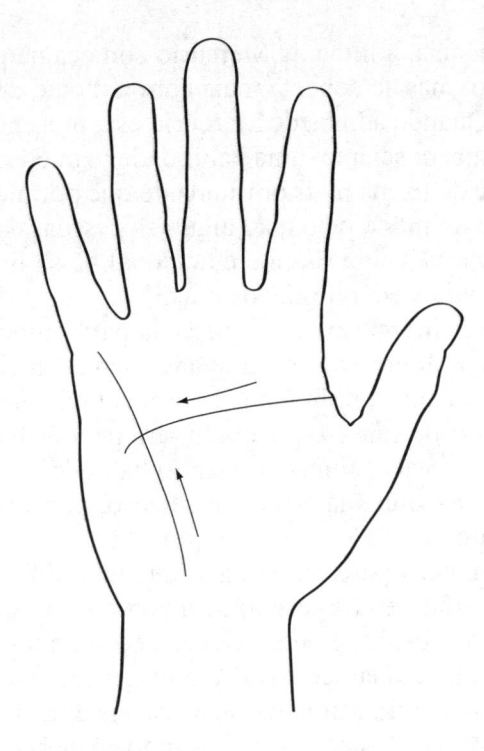

Figura 19.3. Linhas de ar: a linha da Cabeça e de Mercúrio, mostrando a direção de seu fluxo energético.

Vênus é claro e bem definido, as emoções são equilibradas e adequadamente canalizadas.

Ar menor: a linha de Mercúrio

A linha maior de ar, a linha da Cabeça, refere-se à mente e ao intelecto, enquanto sua parceira se relaciona ao equilíbrio do corpo e da mente. Hoje, a linha de Mercúrio é mais comumente chamada de linha da Saúde, pois indica o estado geral de nossa saúde. Outros nomes pelos quais ela já foi chamada: linha Hepática, linha do Fígado e linha do Estômago.[240]

A linha da Cabeça começa na área consciente ativa da mão e termina no subconsciente ou no consciente estático. A linha de Mercúrio começa no consciente ou subconsciente estático e termina na área do subconsciente ativo. Na maioria das mãos que possuem a linha de Mercúrio, ela cruza a linha da Cabeça (fig. 19.3.).

---
240. Altman, *Book of Palmistry*, p. 73.

Com frequência, a linha de Mercúrio começa na parte inferior da linha do Destino, mas se conecta mais com a mente do que com o caminho da vida. Quando a linha de Mercúrio está presente, ela indica um "grau de visão subconsciente; uma habilidade para compreender coisas emocionalmente de forma mais profunda do que por meios comuns".[241] Verificamos isso no modo pelo qual algumas pessoas conseguem sintonizar-se com própria saúde física e emocional. Essa linha pode mudar rapidamente, às vezes em questão de dias.[242]

Uma linha de Mercúrio que começa na parte inferior do centro da mão e não cruza o Monte de Luna enquanto segue em direção ao Monte de Mercúrio indica um equilíbrio entre corpo, alma e espírito. Se a linha começar no Monte de Luna, o resultado será provavelmente uma visão lógica das coisas. Ocasionalmente, essa linha pode começar no Monte de Vênus e cruzar a linha da Vida. Nesse caso, denota problemas com assuntos familiares.

A princípio, pode parecer estranho que uma linha ligada à saúde, ao fígado e ao estômago (digestão) seja parceira da linha da Cabeça. Todavia, é essencial pensar em termos básicos: uma boa saúde é importante para o bom funcionamento do cérebro; saúde fraca pode arruinar uma carreira. Falando francamente, se nosso sistema digestivo não está funcionando bem, nossa aparência fica tudo menos saudável e nossa habilidade de funcionar pode ficar debilitada. Com isso em mente, podemos ver como a linha de Mercúrio reflete nosso estado mental e nossas atitudes em relação à saúde.

Uma linha de Mercúrio profunda e clara indica uma digestão saudável, vitalidade, mente afiada e boa memória. A falta da linha de Mercúrio não tem impacto negativo sobre a linha da Cabeça; entretanto, uma linha de Mercúrio pobre (quebrada ou ondulada) pode ter um efeito levemente negativo. Vimos mais de uma vez que uma característica pouco desejável pode ser compensada ou anulada por outros aspectos da mão.

Ramos que partem da linha de Mercúrio e sobem são um sinal de boa vitalidade e sucesso em nossos empreendimentos. Ramos que se inclinam para baixo indicam a necessidade de aplicar um esforço maior em relação à nossa saúde ou aos projetos nos quais estamos envolvidos. Uma linha de Mercúrio que termina em bifurcação mostra que a energia está dividida. Podemos ter talentos em várias áreas, mas, se queremos ter sucesso, precisamos escolher uma ou estreitar nosso escopo para um

---

241. Gettings, *Book of The Hand*, p. 151.
242. Reid, *Your Health*, p. 95.

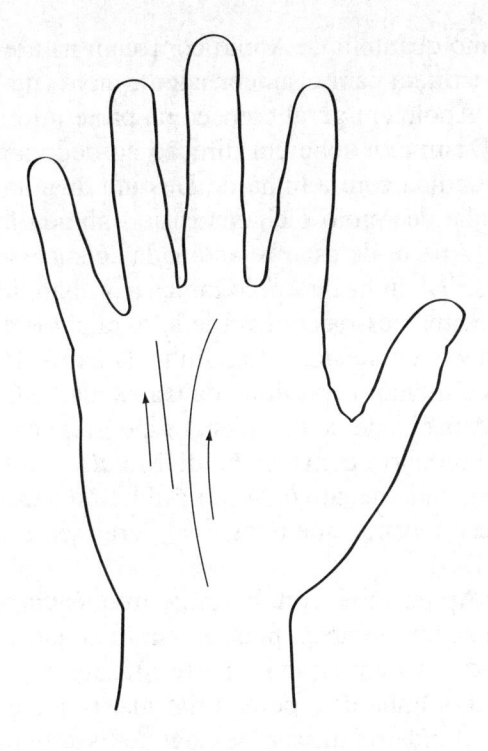

Figura 19.4. Linhas de fogo: a linha do Destino e de Apolo mostrando a direção de seu fluxo energético.

foco melhor. Isso é algo que exige a concordância da mente e o desejo do coração para determinar o que é apropriado.

Como aprendemos em um capítulo anterior, junto com as linhas da Vida e da Cabeça, a linha de Mercúrio forma o Grande Triângulo que envolve o chacra da palma. Essa ligação com as duas grandes linhas também ilustra a função da linha de Mercúrio de equilibrar o corpo e a mente.

Fogo menor: a linha de Apolo

A linha do Destino, a maior linha de fogo, relaciona-se com a direção e os objetivos. A linha de Apolo mostra como os talentos podem ser canalizados e desenvolvidos nos caminhos que escolhemos. Além disso, essa linha se relaciona com nossa "orientação emocional".[243] Tanto

---
243. Gettings, *Book of The Hand*, p. 151.

a linha do Destino quanto a de Apolo começam na área subconsciente estática da mão e fluem para o subconsciente ativo (fig. 19.4).

A linha de Apolo em geral começa na parte inferior da mão, perto da linha do Destino, e sobe em direção ao dedo anular (Apolo). É facilmente confundida com a linha do Destino quando não segue esse curso reto. A linha de Apolo é chamada de linha da Intuição e ligada à criatividade.[244] Apesar de estar relacionada ao sucesso, não garante o sucesso nas artes.[245] A linha de Apolo indica a probabilidade de sucesso, porque distingue uma pessoa com verdadeiro talento de outra que finge muito bem. Também conhecida como linha da Fama, Benham considerou que um nome melhor seria linha da Capacidade. Ele percebeu que ela indicava "a capacidade de conquistar algo grande" na área escolhida.[246] Assim como ocorre com a linha de Mercúrio, a falta da linha de Apolo não indica nada negativo, como a falta de sucesso. A presença dessa linha parece mostrar que o sucesso geralmente vem de maneira um pouco mais fácil.

A linha de Apolo sobe, com bastante frequência, de algum ponto do Monte de Luna, mas também pode se ramificar a partir das linhas do Destino e da Vida. Ao começar na parte inferior do Monte de Luna, pode se tornar uma linha de Apolo comprida, o que é um pouco raro e um sinal de profunda realização pessoal.[247] Essa linha é considerada curta se começa em algum ponto superior do Monte de Luna. Além disso, ela pode até mesmo começar abaixo ou acima da linha da Cabeça.

Se a linha do Destino está quebrada ou caótica, especialmente perto de seu início, uma linha de Apolo forte e clara pode compensar e sustentar o caminho escolhido pela pessoa. Em outras palavras, a linha de Apolo assume as rédeas pela linha do Destino. Quebras na linha de Apolo indicam retrocessos, mas, como na maioria deles, podem ser superados.

Uma linha de Apolo que começa profunda e se torna rasa indica sucesso cedo na vida. Um formato de estrela em qualquer ponto da linha é uma indicação de sucesso brilhante. Assim como a linha de Mercúrio, ramificações inclinadas na linha de Apolo também significam que é preciso mais esforço para atingir os objetivos. Ramos que se inclinam para cima, em direção aos montes de Saturno e Mercúrio, indicam sabedoria e perspicácia, respectivamente.

---

244. Esse nome não deve ser confundido com outra linha, também conhecida como linha da Intuição e que forma um semicírculo no Monte de Luna.
245. Ibid.
246. Benham, *Laws*, p. 562.
247. Altman, *Book of Palmistry*, p. 73.

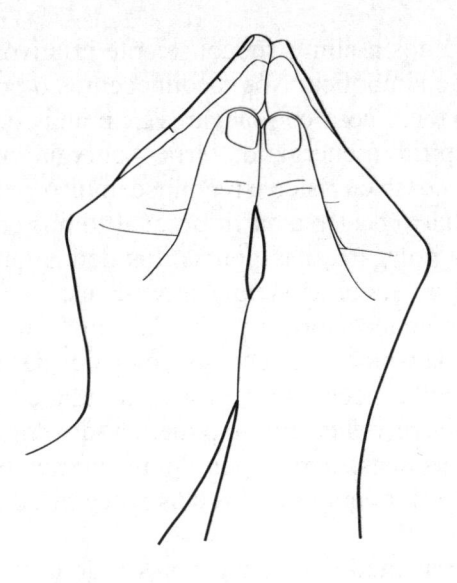

Figura 19.5. O mudra do Eu interior.

A linha pode terminar no alto do Monte de Apolo ou nem alcançá-lo. Assim como com as outras linhas que terminam em bifurcações, isso demonstra múltiplos talentos. Isso também pode indicar dispersão de energia e falta de foco. Dito isso, com a habilidade da energia de fogo para se manifestar e o gosto de Apolo pelo sucesso, a pessoa com uma gama de talentos pode brilhar em muitas áreas.

Prática: conhecendo e equilibrando a energia elementar

Encerrando nosso estudo das linhas, completamos nossa exploração dos elementos. Reconhecemos e honramos o(s) elemento(s) mais forte(s) e confortável(is) para nós e reconhecemos a importância de equilibrar todos os quatro elementos da melhor forma possível.

Comece essa prática como de costume, ativando os chacras da mão. Quando estiver pronto, forme o mudra Jnana, tocando as pontas dos polegares com as pontas dos dedos indicadores. Em seguida, tocaremos cada dedo com o polegar. É importante demorar-se por um tempo em cada um.

Quando conectamos o polegar com o dedo indicador, estamos tocando o espírito na energia de água – energia estática subconsciente do coração. Ativamos assim o subconsciente criativo: imaginação, intuição e expressão simbólica. Nós reconhecemos o poder da emoção e da mudança. Ao tocar com os polegares as pontas dos dedos médios, conectamos o espírito à energia da terra – energia vital estática consciente. Ativamos nosso eu físico e reconhecemos o poder da forma e da manifestação, o barro básico a partir do qual fomos criados.

Ao tocar os polegares nas pontas dos dedos indicadores, conectamos o espírito ao fogo, a energia ativa consciente, o destino e as aspirações. Nós reconhecemos o poder da transformação, da vontade, da criatividade e da paixão. Ao tocar os polegares nas pontas dos dedos mindinhos, estamos conectando o espírito ao ar, à energia mental ativa subconsciente. Nós reconhecemos o poder da sabedoria e da inspiração.

Sustente esses pensamentos por alguns momentos e, então, forme o mudra do Eu interior com os dedos e os polegares das duas mãos (fig. 19.5).

Por meio desse mudra, reconhecemos tudo o que somos e aceitamos quem somos agora e quem pretendemos ser (ou continuar sendo). Nós temos o poder de criar a vida que desejamos. Temos o poder da mudança em nossas mãos, o poder da cura e o poder de crescer em nosso potencial máximo, guiados pela luz interior da intuição e da compaixão. Quando estiver pronto para encerrar a meditação, desative os chacras das mãos e se dê um abraço.

Conclusão

Como aprendemos, nossas mãos são grandes reservatórios de informações a partir dos quais podemos retirar autoconhecimento e compreensão. Quando combinamos esse conhecimento com energia e vontade, podemos começar uma mudança e florescer ao nosso potencial completo.

Como ferramentas, as mãos não nos ajudam somente a cumprir tarefas diárias, mas também possuem um papel instrumental na interpretação do mundo à nossa volta. Além disso, os gestos e o toque oferecem um complemento poderoso, ou um substituto, para a comunicação verbal.

Na pré-história e nos tempos bíblicos, a mão era o símbolo do divino, assim como do poder divino. Nas antigas práticas orientais de *Chi kung* e *Yoga*, os chacras (pontos de energia) das mãos foram descobertos e as práticas foram criadas para utilizá-los. Da mesma forma, os sistemas de cura da Medicina Tradicional Chinesa e de Aiurveda utilizam a energia do corpo por meio de pontos que também foram encontrados nas mãos.

O poder e o mistério das mãos continuam a fascinar as pessoas, e muitas culturas desenvolveram algumas formas de leitura das mãos. Apesar de terem mudado bastante, elas surgiram e ressurgiram no Ocidente como quiromancia. Vista como ciência e também como algo insignificante, a quiromancia continua a interessar e esclarecer as pessoas nos dias de hoje.

Ao longo dos anos, a quiromancia aproximou-se da ideia de utilizar arquétipos elementares na classificação dos formatos de mão, mas não levou essa ideia adiante. Pisamos no limiar e, por meio da lente dos elementos, descobrimos muitas correlações entre a quiromancia e as várias formas de trabalho energético.

Aprendemos sobre como as duas divisões de nossas mãos revelam quatro áreas básicas da consciência – estática, ativa, consciente e subconsciente. Por meio disso, descobrimos a polaridade energética representada pelos quatro elementos. Aprendemos as características e a energia elementar do formato de mãos, quadrantes, montes e combinação de montes.

Ao examinar essas relações, aprendemos a trabalhar com os elementos de nossas características íntimas para nos ajudar a ampliar os aspectos positivos de nossas descobertas. Em vez de rejeitar descobertas negativas, nós as reconhecemos como parte de quem somos no momento, bem como nossa habilidade de mudar quem somos e como funcionamos.

Como vimos, nossos dedos possuem qualidades mais pessoais e distintivas. Ao trabalhar com eles, partimos dos quatro elementos básicos para incluir o quinto, o espírito, simbolizado pelo polegar. Ao fazer um panorama das combinações elementares retratadas pelos dedos, cultivamos uma compreensão mais profunda acerca de nós mesmos.

O estudo das linhas forneceu um *insight* sobre nossos padrões psicológicos e possibilidades. Ao trabalhar com pares elementares de linhas, acompanhamos sua expressão exterior em direção ao conhecimento subconsciente para traçar nosso desenvolvimento. Acima de tudo, aprendemos sobre como as linhas mudam, e como o que descobrimos em nós mesmos também pode ser modificado. As linhas nos revelam potenciais, mas, em última instância, nós exercemos o livre-arbítrio.

Por meio da vontade e do uso dos mudras, focamos nossa energia em direção à manifestação positiva. Encerremos nosso estudo com o mudra Atmanjali – posição de oração. Enquanto unimos nossas palmas em frente ao nosso coração, em uma expressão de gratidão, honramos a quem somos e nos comprometemos a continuar nossa autoexploração e nosso crescimento.

Bibliografia

ALEXANDER, Skye. *Magickal Astrology: Understanding Your Place in the Cosmos*. Franklin Lakes: Career Press, 2000.
ALTMAN, Nathaniel. *The Book of Palmistry*. New York: Sterling Publishing Co, 1999.
BENHAM, William G. *The Laws of Scientific Hand Reading: A Practical Treatise on the Art Commonly Called Palmistry*. New York: G. P. Putnam's Sons, 1901.
BRADFORD, Michael. *Hands-On Spiritual Healing*. New Delhi: Health Harmony, 2005.
CARTER, Mildred. *Hand Reflexology: Key to Perfect Health*. West Nyack: Park Publishing Company, 1975.
CHEIRO. *Palmistry for All*. New York: Putnam, 1916.
CICERO, Chic; CICERO, Sandra Tabatha. *Self-Initiation into the Golden Dawn Tradition: A Complete Curriculum of Study*. St. Paul: Llewellyn Publications, 2003.
CUNNINGHAM, Scott. *Earth, Air, Fire & Water: More Techniques of Natural Magic*. Woodbury: Llewellyn Publications, 2005.
CURTISS, F. Homer. *The Inner Radiance; Gems of Mysticism; And Why Are We Here?*. London: Universal Religious Fellowship, 1935.
DATHEN, Jon. *Practical Palmistry*. London: Collins & Brown, 2003.
DE SAINT-GERMAIN, C. *The Practice of Palmistry for Professional Purposes*. Chicago: Laird & Lee Publishers, 1900.
DRYER, Wayne W. *The Power of Intention: Learning to Co-create Your World Your Way*. Carlsbad: Hay House, 2004.
EASON, Cassandra. *The Complete Guide to Divination: How to Foretell the Future Using the Most Popular Methods of Prediction*. Berkeley: The Crossing Press, 2003.
EDE, Andrew; CORMACK, Leslie B. *A History of Science in Society:*

From Philosophy to Utility. Vol. 1. Peterborough: Broadview Press, 2004.

FONTANA, David. *The Secret Language of Symbols: A Visual Key to Symbols and Their Meanings.* San Francisco: Chronicle Books, 2003.

FORD, Clyde W. *Compassionate Touch: The Role of Human Touch in Healing and Recovery.* New York: Simon & Schuster, 1993.

FRANTZIS, Bruce Kumar. *Opening the Energy Gates of Your Body.* Berkeley: North Atlantic Books, 1993.

FRITH, Henry; ALLEN, Edward Heron. *Chiromancy; or The Science of Palmistry.* London: George Routledge and Sons, 1886.

GALANTE, Lawrence. *Tai Chi: The Supreme Ultimate.* York Beach: Weiser Books, 1981.

GETTINGS, Fred. *The Book of the Hand: An Illustrated History of Palmistry.* New York: Hamlyn Publishing, 1971.

GIBSON, Clare. *Goddess Symbols: Universal Signs of the Divine Female.* New York: Barnes & Nobles Books, 1998.

GIMBUTAS, Marija. *The Civilization of the Goddess: The World of Old Europe.* New York: HarperCollins, 1989.

_____. *The Language of the Goddess.* New York: HarperCollins, 1991.

GOVERT, Johndennis. *Feng Shui: Art and Harmony of Place.* Phoenix: Daikakuji Publications, 1993.

GRAVES, Robert. *The White Goddess: A Historical Grammar of Poetic Myth.* New York: The Noonday Press, 1997.

GREER, John Michael. *The New Encyclopedia of the Occult.* St. Paul: Llewellyn Publications, 2004.

HIPSKIND COLLINS, Judith. *The Hand from A to Z: The Essentials of Palmistry.* St. Paul: Llewellyn Publications, 2005.

HIRSCHI, Gertrud. *Mudras: Yoga in Your Hands.* Boston: Weiser Books, 2000.

HORAN, Paula. *Empowerment Through Reiki: The Path to Personal and Global Transformation.* Twin Lakes: Lotus Light Publications, 1998.

HULSE, David Allen. *The Western Mysteries.* St. Paul: Llewellyn Publications, 2000.

HUNTLEY, Dana. The Venerable Bede at Jarrow. *British Heritage.* Aston, n. 24, p. 46-51, nov. 2003.

JUDITH, Anodea. *Wheels of Life: A User's Guide to the Chacra System.* St. Paul: Llewellyn Publications, 1993.

JUNG, C. G. *Mysterium Coniunctionis: An Inquiry into the Separation*

and Synthesis of Psychic Opposites in Alchemy. Princeton: Princeton University Press, 1976.
KAPTCHUK, Ted J. *The Web That Has No Weaver: Understanding Chinese Medicine*. Chicago: Contemporary Books, 2000.
KIRK, Martin; BOON, Brooke. *Hatha Yoga Illustrated*. Champaign: Human Kinetics, 2006.
KRIEGER, Dolores. *Accepting Your Power to Heal: The Personal Practice of Therapeutic Touch*. Santa Fe: Bear & Company, 1993.
LA ROUX, Madame. *The Practice of Classical Palmistry*. York Beach: Samuel Weiser, 1993.
LEVINE, Roz. *Palmistry: How to Chart the Lines of Your Destiny*. New York: Fireside/Simon & Schuster, 1992.
LEWIS, C. S. *The Discarded Image: An Introduction to Medieval and Renaissance Literature*. Cambridge: Cambridge University Press, 2002.
LIPP, Deborah. *The Way of Four: Create Elemental Balance in Your Life*. St. Paul: Llewellyn Publications, 2004.
LIUNGMAN, Carl. *Dictionary of Symbols*. New York: W. W. Norton & Company, 1994.
_____. *Symbols: Encyclopedia of Western Signs and Ideograms*. Stockholm: HME Publishing, 2004.
MACNAUGHTON, Robin. *Smart Signs, Foolish Choices: An Astrological Guide to Getting Smart in Affairs of the Heart*. New York: Citadel Press, 2004.
MCLAREN, Karla. *Your Aura & Your Chacras: The Owner's Manual*. Boston: Weiser Books, 1998.
MCNEELY, Deldon Anne. *Touching Body Therapy and Depth Psychology*. Toronto: Inner City Books, 1987.
MENEN, Rajendar. *The Healing Power of Mudras*. New Delhi: Pustak Mahal, 2004.
MICHAELS, Lisa. *The Elemental Forces of Creation Oracle*. Lilburn: Institute of Conscious Expression, 2005.
NAPIER, John. *Hands*. New York: Pantheon Books, 1980.
O'DONOHUE, John. *Eternal Echoes: Celtic Reflections on Our Yearning to Belong*. New York: Cliff Street Books, 2000.
PENCZAK, Christopher. *The Outer Temple of Witchcraft: Circles, Spells and Rituals*. St. Paul: Llewellyn Publications, 2004.
PHANOS. *Elements of Hand-Reading*. London: Grant Richards, 1903.
REID, Lori. *Your Health in Your Hands: Palmistry for Health and Well-Being*. Boston: Journey Editions, 2002.

RICHARDSON, Sandra Cheryl. *Magicka Formularia: A Study in Formulary Magick*. Miami: White Starr Publishing, 2004.
ROBINSON, Rita. *Discover Yourself Through Palm Reading: Learning How to Read Yourself and Your Future, Line by Line*. Franklin Lakes: Career Press, 2002.
ROS, Frank. *The Lost Secrets of Ayurvedic Acupuncture*. Twin Lakes: Lotus Press, 1994.
SAINT-GERMAIN, Jon. *Karmic Palmistry: Explore Past Lives, Soul Mates & Karma*. St. Paul: Llewellyn Publications, 2004.
_____. *Runic Palmistry*. St. Paul: Llewellyn Publications, 2001.
SATCHIDANANDA, Sri Swami. *The Yoga Sutras of Patanjali*. Buckingham: Integral Yoga Publications, 2003.
SELBY, Anna. *The Chacra Energy Plan: The Practical 7-Step Program to Balance and Revitalize*. London: Duncan Baird Publishers, 2006.
SHERMER, Michael. *The Borderlands of Science: Where Sense Meets Nonsense*. New York: Oxford University Press, 2001.
SHIPLEY, Joseph T. *Dictionary of Word Origins: A Discursive Dictionary of Indo-European Roots*. Paterson: Littlefield, Adams & Co., 1961.
SMALL, Jacquelyn. *Becoming Naturally Therapeutic: A Return to the True Essence of Helping*. New York: Bantam Books, 1989.
SPENCE, Lewis. *An Encyclopaedia of Occultism*. Mineola: Dover Publications, 2003.
STREEP, Peg. *Sanctuaries of the Goddess: The Sacred Landscapes and Objects*. New York: Little Brown and Company, 1994.
STRUTHERS, Jane. *The Palmistry Bible: The Definitive Guide to Hand Reading*. New York: Sterling Publishing Co., 2005.
_____. *Working with Auras: Your Complete Guide to Health and Well-Being*. London: Godsfield Press, 2006.
SUBRAMANIAN, V. K. *Predictive Planets and Presaging Palms*. New Delhi: Shakti Malik, 2001.
SUI, Choa Kok. *Miracles Through Pranic Healing: Practical Manual on Energy Healing*. Huntington: Energetic Solutions, 2004.
TOMIO, Shifu Nagaboshi. *Chinese Hand Analysis: The Buddhist Wu Hsing Method of Understanding Personality and Spiritual Potential*. York Beach: Samuel Weiser, 1996.
WADDELL, L. Austine. *Tibetan Buddhism: With Its Mystic Cults, Symbolism and Mythology and in Its Relation to Indian Buddhism*. New York: Dover Publications, 1972.

WEBSTER, Richard. *Palm Reading for Beginners: Find Your Future in the Palm of Your Hand.* St. Paul: Llewellyn Publications, 2004.
WEINSTONE, Ann. *Avatar Bodies: A Tantra for Posthumanism.* Minneapolis: University of Minnesota Press, 2004.
WILSON, Frank R. *The Hand: How Its Use Shapes the Brain, Language, and Human Culture.* New York: Pantheon Books, 1998.
YASCHPAULE. *Your Destiny and Scientific Hand Analysis.* Delhi: Motilal Banarsidass Publishing, 1996.
ZONG, Xiao-Fan; LISCUM, Gary. *Chinese Medical Palmistry: Your Health in Your Hand.* Boulder: Blue Poppy Press, 2007.

Índice Remissivo

A

acupressão 14, 180, 181
acupuntura 25, 64, 180
adaptabilidade 116, 121
Aiurveda 221
Alquimia 11, 33, 34
ambição 45, 72, 94, 99, 115, 121, 122, 128, 130, 174, 196
Anel de Vênus 10, 13, 14, 164, 166, 168, 169, 184, 211, 213, 214
Apolo 8, 10, 12, 13, 14, 27, 73, 75, 77, 80, 81, 84, 86, 87, 89, 91, 96, 97, 98, 99, 106, 130, 135, 136, 161, 164, 166, 168, 169, 171, 189, 190, 198, 207, 211, 217, 218, 219
Aristóteles 26, 33, 34, 35, 104, 106, 112
articulação
  lisa
    nodosa 9, 120, 145, 154, 155, 156, 157
Asclépio 27
aspirações 58, 62, 81, 94, 98, 105, 205, 220
astrologia 32, 47, 69
atitudes 44, 56, 73, 135, 143, 166, 203, 204, 216
Atmanjali 22, 222

B

Barras 209
Benham 15, 16, 17, 18, 20, 44, 45, 69, 70, 71, 103, 118, 126, 130, 164, 166, 193, 214, 218
Bíblia 26, 27
brâmanes 26
Budismo 23

C

Carreira 203
Chi 11, 24, 25, 27, 63, 65, 139, 221, 224
  kung 11, 24, 25, 27, 63, 65, 139, 221, 224
China 26, 27, 35, 37
comunicação 17, 20, 21, 23, 71, 79, 82, 84, 86, 87, 88, 91, 98, 99, 106, 111, 143, 145, 146, 148, 161, 168, 183, 185, 189, 196, 221
concentração 115, 154, 194, 199
conexão
  mão

cérebro 16, 19, 20, 21, 22, 64, 69, 106, 125, 166, 174, 180
consciência
  ativa
    estática 9, 16, 21, 22, 23, 25, 29, 31, 32, 78, 79, 80, 84, 86, 87, 88, 89, 90, 91, 97,
      98, 100, 106, 108, 112, 113, 158, 159, 160, 161, 184, 186, 187, 188, 193, 222
continuidade 79, 81, 84, 85, 86, 91, 161
coragem 12, 74, 77, 78, 83, 85, 86, 87, 88, 89, 91, 96, 97, 99, 106, 161, 208
corrente 175, 178, 180, 194, 209, 214
criatividade 24, 76, 77, 82, 85, 87, 90, 94, 96, 99, 106, 111, 115, 116, 121, 128, 130,
      135, 138, 139, 149, 165, 197, 214, 218, 220
cristais 7, 24, 29, 64, 66, 100
cruz 35, 163, 171, 188

D

Lipp Deborah 31, 32, 112
John Dee 35
Delfos 135

E

Empédocles 32, 47
energia
  combinada 17, 21, 22, 23, 24, 25, 27, 29, 30, 35, 37, 41, 45, 47, 50, 51, 52, 56, 57,
      60, 61, 63, 64, 65, 66, 67, 70, 75, 77, 79, 80, 81, 88, 90, 93, 94, 95, 97, 98, 99,
      100, 101, 105, 106, 114, 116, 118, 119, 121, 122, 123, 130, 131, 132, 133,
      Éter 37
Eu interior 14, 95, 138, 174, 187, 219, 220

F

família 38, 85, 149, 194, 206
flexibilidade 13, 43, 46, 140
foco 94, 98, 99, 128, 169, 194, 199, 207, 217, 219
força vital 10, 23, 135, 151, 173, 177, 180

G

Gaia 125
Liscum Gary 27
gesto 19, 20, 113, 123, 144, 153
Fred Gettings 46, 120
Grande Deusa Mãe 125
Grande Triângulo 10, 13, 170, 171, 200, 206, 217
Robert Graves 21
Grécia 26, 27, 69

H

Habilidades mentais 77
hindu 164, 200, 213

Hipócrates 34
humores 128

I

Idade Média 26, 27
IG4 13, 122
ilhas 189, 209
imaginação 39, 57, 58, 76, 77, 90, 94, 96, 99, 104, 177, 197, 205, 207, 220
independência 79, 81, 82, 83, 84, 98, 117, 120, 137, 143, 144, 145, 156, 161, 194,
Índia 23, 26, 27, 35, 37, 112, 163, 213
intestino grosso 122
intuição 39, 40, 57, 58, 62, 76, 82, 84, 86, 87, 94, 95, 106, 109, 111, 114, 121, 128,
   135, 138, 159, 167, 200, 201, 204, 220

J

Napier John 16, 20, 26, 111, 151, 171, 174
O'Donohue John 16
Carl Jung 35, 47, 112
Júpiter 8, 12, 70, 71, 72, 74, 75, 77, 80, 81, 82, 83, 84, 91, 96, 97, 98, 99, 106, 115,
   116, 118, 130, 136, 161, 167, 168, 174, 176, 184, 185, 186, 189, 196, 207,

L

Laogong/P8 65
linha 10, 14, 72, 73, 74, 75, 76, 97, 110, 114, 163, 164, 165, 166, 167, 168, 169, 171,
   173, 174, 175, 176, 177, 178, 179, 180, 181, 183, 184, 185, 186, 187, 188,
de apolo
   da Cabeça
      do Destino 10, 14, 72, 73, 74, 75, 76, 97, 110, 114, 163, 164, 165, 166, 167,
         168, 169, 171, 173, 174, 175, 176, 177, 178, 179, 180, 181, 183, 184, 185,
         186, 187, 188, 189, 190, 193, 194, 195, 196, 197, 198, 199, 200, 203, 204,
         205, 206, 207, 208, 209, 210, 211, 212, 213, 214, 215, 216, 217, 218, 219
   de Mercúrio
      Principal/maior
         da vida 10, 14, 72, 73, 74, 75, 76, 97, 110, 114, 163, 164, 165, 166, 167, 168,
            169, 171, 173, 174, 175, 176, 177, 178, 179, 180, 181, 183, 184, 185, 186,
            187, 188, 189, 190, 193, 194, 195, 196, 197, 198, 199, 200, 203, 204, 205,
            206, 207, 208, 209, 210, 211, 212, 213, 214, 215, 216, 217, 218, 219
   do Jurista
      menor
         Mercúrio 10, 14, 72, 73, 74, 75, 76, 97, 110, 114, 163, 164, 165, 166, 167, 168,
            169, 171, 173, 174, 175, 176, 177, 178, 179, 180, 181, 183, 184, 185, 186,
            187, 188, 189, 190, 193, 194, 195, 196, 197, 198, 199, 200, 203, 204, 205,
            206, 207, 208, 209, 210, 211, 212, 213, 214, 215, 216, 217, 218, 219
Lord Reid 163, 165, 174, 187, 204, 207, 208, 216
Lua 33, 69, 70, 71, 75

M

mão
  dominante
    não dominante 7, 8, 9, 11, 12, 13, 14, 16, 17, 19, 20, 21, 22, 23, 24, 25, 26, 27,
        29, 43, 44, 45, 46, 47, 48, 50, 51, 55, 56, 57, 58, 59, 60, 62, 63, 64, 65, 66, 67,
        69, 70, 72, 73, 74, 75, 76, 77, 78, 79, 80, 90, 93, 94, 95, 97, 98, 99, 100, 101,
        103, 104, 107, 108, 109, 111, 117, 118, 119, 120, 122, 123, 125, 126, 127,
        132, 135, 136, 138, 140, 143, 145, 151, 152, 153, 154, 157, 158, 159, 160,
    San Jiao 12, 13, 14, 122, 131, 133, 139, 140, 142, 157, 180, 181, 189, 190
metacarpo 155, 181
metas 87, 116, 118, 119, 121
Bradford 23
Monte
  Mercúrio
    Netuno
      Saturno 8, 14, 63, 72, 73, 74, 75, 76, 77, 78, 98, 106, 115, 116, 118, 125, 136,
          145, 153, 155, 161, 167, 168, 171, 173, 174, 176, 177, 180, 183, 184, 185,
          186, 187, 189, 196, 197, 198, 199, 203, 204, 206, 207, 214, 216, 218, 219
    Vênus 8, 14, 63, 72, 73, 74, 75, 76, 77, 78, 98, 106, 115, 116, 118, 125, 136, 145,
        153, 155, 161, 167, 168, 171, 173, 174, 176, 177, 180, 183, 184, 185, 186,
        187, 189, 196, 197, 198, 199, 203, 204, 206, 207, 214, 216, 218, 219

N

Netuno 76, 77, 213

O

objetivos 24, 41, 76, 81, 86, 106, 110, 136, 154, 160, 166, 169, 173, 174, 175, 203,
    204, 205, 206, 207, 211, 214, 217, 218
o intelecto 39, 58, 106, 128, 169, 171, 197, 215
o intuitivo 23, 32, 41, 61, 93, 94, 96, 160
prático 93, 128, 139, 147, 160
Braceletes 10, 13, 14, 164, 166, 168, 169, 211, 212, 213
o sensível 60, 73, 96, 128, 171, 188

P

P8 63, 64, 65, 66
palma 7, 8, 11, 12, 16, 24, 25, 43, 45, 46, 47, 48, 49, 50, 51, 55, 56, 57, 58, 59, 62,
    63, 64, 65, 66, 69, 77, 78, 79, 80, 93, 95, 97, 99, 100, 101, 103, 104, 105, 107,
    108, 109, 121, 123, 124, 129, 131, 138, 146, 149, 158, 163, 171, 185, 189,
    190, 191, 200, 210, 212, 214, 217
portais energéticos 25, 63
posição 9, 13, 22, 29, 65, 94, 105, 109, 110, 111, 113, 114, 123, 132, 142, 144, 150,
    152, 153, 158, 174, 175, 196, 200, 205, 222

Q

quadrantes 7, 8, 11, 12, 37, 56, 58, 59, 62, 63, 66, 69, 93, 95, 96, 98, 100, 101, 104,

108, 159, 166, 167, 169, 203, 204, 212, 222
Quadrilátero 13, 14, 170, 171, 193, 194
Quartzo 101
Quintessência 37
Quiromancia 1, 3, 16, 69

R

Rascette 75
realização 158, 218

S

S 14, 176, 177, 225
  arco em
    curva em 14, 176, 177, 225
Sol 35, 69, 70, 71, 73, 135
solidão 73, 98
sonhos 57, 58, 76, 77, 95, 104, 119, 147, 177, 197

T

Tarô 38, 39, 40, 41
Terra 8, 10, 12, 16, 33, 34, 35, 36, 37, 49, 51, 52, 59, 60, 61, 63, 66, 69, 70, 75, 77, 78, 79, 80, 82, 83, 89, 91, 93, 96, 100, 101, 103, 107, 108, 112, 125, 160, 161, 165, 173, 211, 212
textura da pele 43, 44, 45, 51
Tibete 26, 35
triângulo 34, 171, 172

V

védico 23, 26
versatilidade 81, 84, 86, 87, 91, 96, 99, 135, 137, 146, 161, 197, 198
Via Lascivia 164
vitalidade 45, 51, 75, 76, 77, 81, 84, 85, 86, 88, 90, 91, 93, 97, 99, 151, 161, 169, 173, 174, 175, 176, 177, 179, 212, 214, 216

W

Sherwood Washburn 19
Benham Willian 15, 16, 17, 18, 20, 44, 45, 69, 70, 71, 103, 118, 126, 130, 164, 166, 193, 214, 218

Y

Yin 55
Yoga Sutras 159, 226

Z

zonas 8, 12, 103, 104, 105, 106, 107, 159